STEVE BIDDULPH
CRIANDO MENINOS

EDITORA
FUNDAMENTO

2014, Editora Fundamento Educacional Ltda.
Reimpresso em 2024.

Editor e edição de texto: Editora Fundamento
Capa e editoração eletrônica: Sage Serviços de Apoio Administrativo Ltda. (Leila Eleutério)
　　　　　　　　　　　　　　TRC Design (Marcio Luis Coraiola)
　　　　　　　　　　　　　　Bella Ventura Eventos Ltda. (Lorena do Rocio Mariotto)
CTP e impressão: Imprensa da Fé
Tradução: Capelo Traduções e Versões Ltda. (Neuza Capelo)

Copyright de texto © 2002 Steve e Shaaron Biddulph
Foto de capa: cortesia de Steve e Shaaron Biddulph
Copyright de ilustrações © Paul Stanish
Publicado originalmente na Austrália e Nova Zelândia como *Raising Boys: Why boys are different – and how to help them become happy and well-balanced men*, por Finch Publishing Pty Limited, Sydney.

Todos os direitos reservados. Nenhuma parte deste livro pode ser arquivada, reproduzida ou transmitida de qualquer forma ou por qualquer meio, seja eletrônico ou mecânico, incluindo fotocópia e gravação de backup, sem permissão escrita do proprietário dos direitos.

Dados Internacionais de Catalogação na Publicação (CIP)
(Câmara Brasileira do Livro, SP, Brasil)

Biddulph, Steve
　　Criando meninos / Steve Biddulph ; [versão brasileira da editora] – 3 ed. – São Paulo, SP : Editora Fundamento Educacional Ltda., 2014.

　　Título original : Raising Boys: Why boys are different

　　1. Mãe e filho 2. Meninos – Conduta de vida 3. Meninos – Guias de prática de vida 4. Pai e filho I. Título

02-2461　　　　　　　　　　　　　　　　　　　　　　　　　　　　CDD-649.132

Índice para catálogo sistemático:
1. Meninos: Criação: Vida Familiar 649.132

Fundação Biblioteca Nacional

Depósito legal na Biblioteca Nacional, conforme Decreto n.º 1.825, de dezembro de 1907.
Todos os direitos reservados no Brasil por Editora Fundamento Educacional Ltda.

Impresso no Brasil

Telefone: (41) 3015 9700
E-mail: info@editorafundamento.com.br
Site: www.editorafundamento.com.br

Esse livro foi impresso em papel Lux cream 70 g/m² e a capa em cartão 250 g/m².

Sumário

Uma nota importante 4

1. O que há com os meninos? 5

2. Os três estágios da infância 8

3. Testosterona! 36

4. As diferenças entre os cérebros de meninos e meninas 52

5. O que os pais podem fazer 66

6. Mães e filhos 84

7. Desenvolvendo uma sexualidade saudável 108

8. Uma revolução na educação 127

9. Os garotos e o esporte 149

10. Um desafio para a comunidade 160

Agradecimentos 168

Uma nota importante

Houve um tempo, nem tão distante assim, em que se valorizavam mais os meninos e se pensava que as meninas não seriam capazes de fazer tudo o que eles faziam.

As famílias empregavam todos os recursos possíveis na educação dos filhos, mas acreditavam que gastar dinheiro com a educação das filhas seria "desperdício". O menino recebia a melhor alimentação e as melhores roupas porque nele estava o futuro da família. O nascimento de um garotinho era visto como uma bênção; o de uma garotinha era falta de sorte.

Ainda hoje, na Tailândia e no Nepal, por exemplo, meninas podem ser compradas e vendidas, e, em algumas regiões da China, os bebês do sexo feminino podem ser abandonados para morrer. Para nós, isso parece terrível. No entanto, aqui mesmo no Ocidente, uma longa e árdua luta aconteceu para que as meninas tivessem o mesmo valor, e as mulheres pudessem alcançar todo o seu potencial. E essa luta continua.

Ao escrever um livro sobre os meninos e suas necessidades especiais, não pretendo, de modo algum, diminuir os esforços feitos em toda parte para promover mulheres e meninas. Mas está dolorosamente claro (para qualquer um que abra um jornal) que os meninos também estão sofrendo. Um mundo melhor depende de indivíduos mais felizes e mais saudáveis. Se queremos mais homens bons no mundo, precisamos começar a tratar os meninos com menos reprovação e mais compreensão.

Steve Biddulph

Capítulo 1

O que há com os meninos?

Na noite passada, tinha um encontro na cidade. Peguei o carro para ir até lá, mas um acidente fez com que a situação dos jovens mais uma vez atravessasse o meu caminho. Três veículos à frente do meu, a estrada foi bloqueada. Dirigindo um carro de passeio e levando quatro colegas, um rapaz de 17 anos tentou escapar do tráfego, mas não viu um caminhão que vinha de trás. O caminhão pegou o carro pelo meio, arrastando-o pela rodovia por uns 50 metros. Junto à cena do acidente, havia sete veículos de emergência: bombeiros, resgate, polícia, ambulâncias. As equipes trabalhavam, enfrentando com frieza a situação. O jovem motorista foi lentamente retirado das ferragens, inconsciente. Os outros quatro rapazes tinham vários ferimentos. Uma mulher mais velha, talvez a mãe de um deles, veio correndo de uma fazenda próxima e foi confortada com gentileza pelo policial.

O sexo masculino estava em toda a cena – de um lado, inexperiência e risco; do outro, competência, cuidado e equilíbrio.

Aquilo praticamente resumiu para mim a situação masculina. Os homens, quando bem-sucedidos, são maravilhosos. Mas os jovens do sexo masculino tornam-se tão vulneráveis, tão propensos ao desastre...

Hoje em dia, quando vemos nascer um menino, sentimos um aperto no coração – o que vai ser dele no futuro?

Meninos em situação de risco

Atualmente, as meninas são mais seguras de si, mais motivadas, mais aplicadas.

Os meninos, com frequência, não têm objetivo, vão mal na escola, têm dificuldades de relacionamento, expõem-se à violência, ao álcool, às drogas e outros perigos. As diferenças começam cedo – visite uma pré-escola e constate você mesmo. As meninas trabalham contentes em grupo; os meninos circulam como indígenas em volta de um vagão de trem, implicam com elas e brigam uns com os outros.

Durante o ensino fundamental, os trabalhos dos meninos costumam ser mais desleixados e de pior qualidade. Lá pelo terceiro ano, já não querem mais ler. Falam o mínimo possível, só uma palavra ou outra: "Oi?", "Tá!". No ensino médio, não participam de debates, não frequentam concertos, reuniões ou qualquer atividade que não seja esportiva. Fingem que não ligam para nada e dizem que "assim é que é legal".

Os adolescentes são bastante inseguros quanto a relacionamentos e a se aproximar das garotas. Quando elas estão por perto, alguns ficam terrivelmente tímidos, e outros se tornam agressivos e desagradáveis. Parecem não dominar nem mesmo as habilidades mais básicas de conversação.

Mas, o pior de tudo, é claro, é a questão da segurança. As mortes de rapazes de 15 anos são três vezes mais frequentes do que as de meninas da mesma idade. As causas são as mais variadas, mas acontecem principalmente devido a acidentes, violência e suicídio.

Boas notícias

O que todos nós queremos é ver jovens ativos, felizes, criativos e gentis. Precisamos que os nossos meninos se transformem em jovens que se preocupem com os outros e participem das soluções do século 21. E que, enquanto isso, lavem a louça e arrumem o quarto!

Nesses últimos cinco anos, muito se aprendeu sobre a verdadeira natureza dos meninos. São descobertas surpreendentes e agradáveis. Acreditamos que a leitura deste livro possa lhe oferecer um grande alívio. Durante 30 anos, foi moda negar a masculinidade e dizer que meninos e meninas são iguais. Mas, conforme diziam pais e professores, essa abordagem não funcionava. Novas pesquisas vieram confirmar a intuição dos pais sobre o fato de que os meninos são diferentes, mas de maneira positiva. Estamos começando a entender como *apreciar* e não reprimir a masculinidade – qualquer que seja sua forma.

Neste livro, vamos observar muitos aspectos inteiramente novos do entendimento do que é ser menino. Vamos explicar primeiro os **três estágios distintos** do desenvolvimento. Em seguida, vamos examinar os poderosos efeitos dos **hormônios** masculinos sobre a psicologia dos meninos e ver como podemos ajudá-los a lidar com as ondas do desenvolvimento. Vamos falar das importantes descobertas acerca de como o **cérebro** dos meninos é vulnerável e discutir meios de desenvolver melhor suas habilidades de comunicação. Vamos ver ainda algumas histórias e ideias sobre o importante relacionamento entre **mãe** e filho, a posição vital do **pai** e mostrar como as escolas podem melhorar sensivelmente. Vamos examinar o **esporte**, que se tornou um verdadeiro risco, apesar de tão bom para os garotos. Vamos falar também de meninos e **sexo**. E, por último, vamos ver algumas maneiras pelas quais toda a **comunidade** pode dar apoio aos meninos para que se tornem homens.

Meninos podem ser ótimos. Nós podemos fazê-los ficar assim. Compreensão é o segredo.

Capítulo 2
Os três estágios da infância

Os meninos não crescem todos de maneira suave e uniforme. Não basta dar cereais à vontade, camiseta limpa todo dia, para vê-los uma certa manhã acordarem homens feitos. Existe um programa a seguir. Qualquer um que conviva com meninos se surpreende com suas mudanças e com a variação de humor e energia que apresentam em ocasiões diferentes. A questão é entender o que fazer – e quando.

Felizmente, os garotos estão por aí há muito tempo e não somos os primeiros a lidar com eles. Todas as culturas do mundo enfrentaram o desafio de educar meninos e cada uma encontrou suas soluções. Foi só nas últimas décadas, tão sacudidas pelas mudanças, que nós falhamos em adotar um plano de ação real para criar bem os nossos meninos. É que estávamos muito ocupados fazendo outras coisas!

Os três estágios da infância são atemporais e universais. Sempre que falo com pais sobre esses estágios, eles dizem "Está certo!", porque a tese combina com a experiência deles.

Uma visão rápida dos três estágios

1. O primeiro estágio vai do **nascimento aos seis anos**, período em que o menino pertence principalmente à mãe. Ele é o menino "dela", embora o pai possa exercer um papel muito importante. Durante esse estágio, a meta deve ser dar amor e segurança e fazer com que a "ligação" do menino à vida seja uma experiência calorosa e acolhedora.

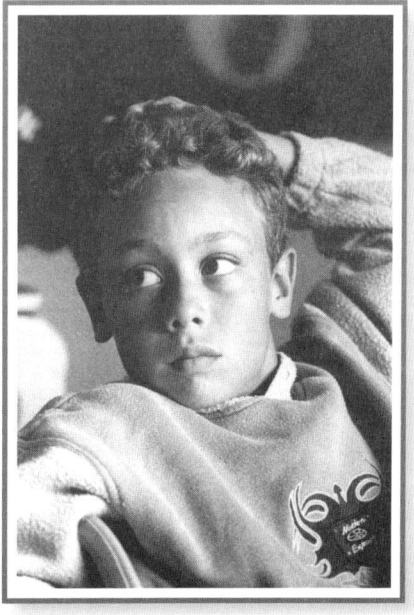

2. O segundo estágio inclui o período que vai dos **seis aos 14 anos**, quando o menino, num impulso que vem de dentro, começa a querer aprender a ser homem e se volta cada vez mais para o pai, com quem procura partilhar interesses e atividades, embora a mãe continue muito envolvida e o mundo exterior também exerça atração. O objetivo desse estágio é criar competência e habilidade, desenvolvendo ao mesmo tempo afabilidade e bom humor para que ele se torne uma pessoa equilibrada. Essa é a idade em que o menino se sente seguro e feliz com sua masculinidade.

3. Finalmente, dos **14 anos à idade adulta** é o estágio em que o menino precisa de informação de mentores do sexo masculino para completar a jornada rumo à idade

2. Os três estágios da infância

adulta. Mamãe e papai ficam um pouco de lado, mas devem cuidar para que bons mentores façam parte da vida de seu filho, senão ele vai ter que contar com colegas despreparados para construir sua individualidade. O objetivo é adquirir habilidades, desenvolver responsabilidade e respeito próprios, fazendo parte, cada vez mais, da comunidade adulta.

Note bem – Esses estágios não indicam uma mudança brusca da figura da mãe para a figura do pai. A melhor situação é aquela em que pai e mãe se envolvem durante toda a infância e a adolescência do filho. Os estágios indicam mudança na ênfase: o pai fica mais em evidência quando o filho tem de seis a 13 anos, e a importância dos mentores aumenta dos 14 em diante. Os pais devem sempre investigar a integridade dos mentores, procurar saber se são dignos de confiança.

Os três estágios nos mostram muito sobre o que fazer. Por exemplo: fica claro que os pais de meninos de seis a 14 anos não podem ser *workaholics*, sempre ocupados com o trabalho, nem pessoas afastadas emocional ou fisicamente da família. Pais assim certamente prejudicariam seus meninos, embora a maior parte dos pais do século 20 tenha agido desse modo – como muitos de nós sabemos por experiência própria.

Quando os nossos filhos estão lá pela metade da adolescência, os estágios nos dizem que precisamos buscar ajuda extra na comunidade, papel esse que costumava ser preenchido por parentes, por exemplo, tios e avós, ou pela relação entre mestre e aprendiz. Com muita frequência, os jovens caem no mundo e não encontram ninguém que os apoie. Então, passam a adolescência e o início da idade adulta em um perigoso estágio intermediário. Alguns simplesmente não crescem nunca.

É justo pensar que muitos problemas dos meninos, especialmente de comportamento na escola, acontecem porque não tínhamos conhecimento desses estágios e não oferecemos os componentes humanos adequados na época certa.

Os estágios são tão importantes que devemos estudá-los mais detalhadamente para decidir como agir em relação a eles. É o que vamos fazer.

Do nascimento aos seis anos: os anos tranquilos

Bebês são bebês. Se são meninos ou meninas, não é uma preocupação para eles e também não deve ser para nós. Bebês adoram ser acarinhados, brincar, sentir cócegas e rir, explorar o ambiente em volta e ser levantados no ar. Suas personalidades variam muito. Alguns são fáceis de cuidar: quietos e sossegados, dormem horas seguidas. Outros são agitados e barulhentos, sempre em busca de um pouco de ação. Alguns são ansiosos e irritadiços, precisando ter certeza o tempo todo de que estamos por perto e de que os amamos.

O que os bebês e as crianças pequenas mais precisam é formar uma ligação especial com pelo menos uma pessoa. Ela geralmente é a mãe, ou porque é a mais disposta e motivada, ou porque é ela quem fornece o leite e, em parte, porque seu jeito de cuidar da criança costuma ser carinhoso, tranquilo e doce. Então, a mãe é quem está mais bem capacitada para dar aquilo de que o filho precisa. Seus próprios hormônios (em especial a prolactina, que é liberada em sua corrente sanguínea quando ela amamenta) predispõem-na a querer estar com a criança e dar a ela toda a atenção.

Exceto pela amamentação, o pai pode dar tudo que a criança precisa. Só que seu modo de agir tende a ser diferente. Estudos demonstram que o pai, quando brinca com o filho, é mais vigoroso, gosta de agitar a criança, enquanto a mãe prefere acalmá-la. Quem sabe se os pais, passando noites em claro como as mães às vezes passam, também não prefeririam a calma?!

2. Os três estágios da infância

Começam a aparecer as diferenças entre masculino e feminino

Algumas diferenças de gênero entre meninos e meninas aparecem bem cedo. Os bebês meninos são menos sensíveis a rostos. Os bebês meninas têm um senso de toque mais apurado. Meninos crescem mais depressa e ficam mais fortes, embora sintam mais a separação da mãe. Quando começam a andar, os meninos se movimentam muito e precisam de mais espaço para suas brincadeiras. Gostam de segurar e manipular objetos, fazendo altas construções com blocos educativos, enquanto as meninas preferem construções de pouca altura. Na pré-escola, quando um novo coleguinha é apresentado ao grupo, costuma ser ignorado pelos meninos, enquanto as meninas prestam atenção nele e se aproximam para ajudar.

E, infelizmente, os adultos tendem a tratar os meninos com mais rispidez. Estudos demonstram que os pais abraçam e acariciam muito mais as filhas, mesmo quando recém-nascidas, e falam menos com os meninos. As mães dos meninos tendem a bater neles com mais força e com mais frequência do que nas meninas.

Quando a mãe é a pessoa com quem tem mais contato, o menino passa a vê-la como primeiro modelo de intimidade e amor. Se desde bem cedo ela estabelece limites com firmeza, mas sem agressões e humilhações, ele assimila isso, pois sabe que ocupa um lugar especial no coração dela.

Quando a mãe demonstra interesse e prazer em ensinar e conversar com o menino, o cérebro dele desenvolve maior habilidade verbal, e ele se torna mais sociável. Vamos ver adiante o quanto isso é importante para os meninos, já que eles precisam de mais ajuda que as meninas para adquirir habilidades sociais.

Se a mãe sofre de depressão profunda, agindo com indiferença em relação ao filho durante os primeiros dois anos da vida dele, o cérebro da criança pode passar por mudanças e se tornar um "cérebro triste". Se ela é agressiva, bate ou machuca o filho, ele fica inseguro quanto a seu amor. A mãe precisa de apoio, a fim de relaxar e cumprir sua importante missão. Precisa ter quem cuide dela, para que possa cuidar de seu bebê.

A mãe se encanta quando o filho pega bichinhos ou faz bolinhos de barro, admira suas realizações. O pai provoca e brinca de lutar, mas também pode ser gentil e cuidadoso, ler histórias e dar conforto quando ele adoece. O menininho aprende que os homens podem ser empolgantes, que os homens leem livros e que são capazes de ajudar em casa.

Ir muito cedo para a creche não é bom para os meninos.

Se possível, o menino deve ficar em casa com um dos pais até os três anos. A vida em instituições – creches ou centros de educação infantil – não se adapta à natureza de crianças abaixo dessa idade. Muitos estudos já demonstraram que os meninos são mais propensos que as meninas a ficarem ansiosos por causa de separações e se abaterem com a sensação de terem sido abandonados. Um menino pode desenvolver um comportamento irrequieto ou agressivo ainda na creche e carregar esse rótulo com ele por toda a vida escolar.

Para crianças abaixo de três anos, ser cuidado na própria casa por um parente ou uma babá carinhosa é muito melhor do que uma creche. Elas precisam passar os longos dias da meninice com pessoas que as considerem muito especiais. As primeiras lições que um menino precisa aprender dizem respeito a intimidade, confiança, cordialidade, prazer e bondade.

2. Os três estágios da infância

Em resumo

Até os seis anos, pertencer ao sexo masculino ou feminino não faz muita diferença, e não se deve dar importância a isso. A mãe é geralmente a figura principal, mas o pai pode assumir esse papel. O que importa é que haja uma ou duas pessoas-chave para amar a criança e dar a ela uma posição central nesses poucos anos. Assim, ela desenvolve segurança, e seu cérebro adquire habilidades de comunicação e constrói um amor feito de aprendizagem e interação.

São anos que passam depressa. Aproveite o seu menino enquanto você pode!

Dos seis aos 13: aprendendo a ser homem

Por volta dos seis anos de idade, acontece uma grande mudança nos meninos. É como se, de repente, alguém apertasse um botão para "ligar" sua masculinidade. Mesmo aqueles que não assistem muito à televisão começam a querer brincar com espadas, capas de Super-Homem,

lutar e fazer barulho. Acontece também um outro fato realmente importante que é observado em todas as sociedades do mundo: em torno dos seis anos de idade, o menino parece "se ligar" no pai, padrasto ou figura masculina mais próxima, insistindo em acompanhá-lo, ver o que ele faz e imitar seu jeito. É como se quisesse "aprender a ser homem".

Se o pai ignora o filho nessa época, este geralmente inicia uma campanha intensiva para conseguir atenção. Uma vez, atendi um garotinho que, em repetidas ocasiões, ficava seriamente doente sem que se encontrasse a razão. Chegou a ficar sob cuidados intensivos. O pai, um médico de renome, abandonou uma conferência nos Estados Unidos para estar junto do filho e ele logo melhorou. O pai voltou para a conferência e a doença também voltou. Pedimos ao pai que reconsiderasse seu estilo de vida, que incluía viajar *oito meses por ano*! Ele assim fez, e, desde então, o menino nunca mais adoeceu.

Meninos podem furtar, molhar a cama, agir com agressividade na escola e desenvolver vários problemas de comportamento só para atrair a atenção do pai.

A mamãe ainda é muito importante.

A súbita mudança de interesse para o pai não significa que a mãe sai de cena. Em alguns países, como nos Estados Unidos, a mãe costuma se afastar um pouco de seus filhos do sexo masculino, quando eles estão nessa idade, para que fiquem mais "durões". Era também a idade em que, na Inglaterra, as famílias das classes mais altas mandavam as crianças para o colégio interno. Mas, conforme dizia Olga Silverstein em seu livro *The courage to raise good men*, isso é uma bobagem. Os meninos devem saber que podem contar com a mãe e que não têm que sufocar seus sentimentos mais ternos. As coisas caminham melhor quando os filhos podem estar perto da mamãe – e do papai também. Se o pai perceber que a criança está envolvida demais com o mundo da mãe, o que pode acontecer, deve aumentar o próprio envolvimento – e não criticar a esposa! Talvez ele esteja sendo muito exigente ou esperando demais do filho, e o menino tenha medo dele.

Se, nos primeiros anos, a mãe se afastar, privando o filho do calor e do afeto de sua presença, acontece uma coisa terrível: o menino, para suportar a dor e o sofrimento, desliga a parte dele que estava em contato com ela – sua parte mais terna e amorosa. Ele conclui que dói demais amar alguém – a mãe, no caso – sem ser correspondido. Por desligar uma parte de si, o menino terá problemas quando adulto para demonstrar entusiasmo ou carinho à sua companheira ou a seus filhos, tornando-se um homem tenso e irritável. Todos conhecemos homens assim, patrões, pais ou mesmo maridos, emocionalmente tolhidos e pouco hábeis no trato com as pessoas. Para ter a certeza de que os nossos filhos não vão seguir o mesmo caminho, vamos abraçá-los bastante, não importa se têm cinco, dez ou 15 anos.

NA PRÁTICA

Cinco aspectos essenciais da arte de ser pai

Aqui estão alguns componentes básicos da arte de ser pai.

Comece cedo. Envolva-se com a gravidez: fale das suas esperanças com relação à criança, assista ao parto. Envolva-se com o cuidado do bebê desde o início. Essa é uma época-chave para a construção do relacionamento. O cuidado com o bebê influi sobre os hormônios e altera as suas prioridades de vida. Portanto, cuidado! Pais que cuidam fisicamente de seus filhos começam a se sentir fascinados por eles, em total sintonia. Homens podem se tornar especialistas na arte de fazer o filho dormir no meio da noite, seja passeando, embalando, cantando suavemente ou do modo que funcionar melhor para você! Não se conforme em ser um desajeitado com bebês. Insista, busque apoio e aconselhamento da mãe do bebê e de amigos mais experientes. E orgulhe-se da sua capacidade.

Ainda que o trabalho tome muito do seu tempo, use os fins de semana e feriados para se dedicar inteiramente ao seu filho. Logo que ele fizer dois anos, incentive sua mulher a passar um fim de semana fora e deixá-lo sozinho com o seu menino – você vai ver que é capaz.

Arranje tempo. Preste atenção nesta que é talvez a frase mais importante de todo este livro: *Se você tem como rotina trabalhar de 55 a 60 horas por semana e ainda viaja a trabalho, simplesmente não vai dar conta de ser pai*. Seus filhos vão ter problemas e isso vai se refletir em você. O pai precisa chegar em casa a tempo de brincar, rir, ensinar e "curtir" o filho. A vida corporativa e os pequenos negócios podem ser inimigos da família. Muitos pais concluem que a solução é aceitar um salário mais baixo e ter mais tempo para a família. Da próxima vez que lhe oferecerem uma "promoção" que envolva mais tempo no trabalho e mais noites longe de casa, pense seriamente em responder ao chefe "*Desculpe, mas os meus filhos vêm em primeiro lugar*".

Seja expansivo. Abraços, beijos, lutas de brincadeira podem continuar pela vida adulta! E atividades calmas também: crianças gostam de escutar histórias, sentar lado a lado, cantar ou ouvir música. Diga sempre, e com sentimento verdadeiro, às suas crianças como são boas, bonitas, criativas e inteligentes. Se os seus pais não foram expansivos, você vai ter de aprender. Alguns pais temem que, por darem carinho a seus filhos, eles se tornem "maricas" ou, talvez, *gays*. Não é assim. Na verdade, pode ser o contrário. Muitos *gays* ou bissexuais com quem conversei disseram que a falta de afeto paterno contribuiu para tornar a afeição masculina mais importante para eles.

Viva com mais leveza. Aproveite a companhia dos seus filhos. Estar com eles por obrigação ou para diminuir a culpa não resolve, e essa história de "tempo de qualidade" é um mito. Procure descobrir atividades que agradem a você e a eles. Alivie a pressão sobre as suas crianças, mas insista em que colaborem em casa. Limite a uma, ou, no máximo, a duas as atividades fora da escola, sejam esportivas ou de qualquer outra natureza, de modo que sobre tempo para "viver". Diminua a correria e dedique-se a caminhadas, jogos e conversas. Evite o excesso de competição em atividades que devem ser divertidas. Passe para o seu filho, continuamente, tudo o que você sabe.

Seja firme. Alguns pais modernos fazem o tipo "boa-praça", deixando para as mães o trabalho difícil. Envolva-se nas decisões, supervisione o que a criança faz em casa. Encontre maneiras de disciplinar que sejam calmas, porém firmes. Não bata – embora no caso de crianças pequenas seja preciso contê-las e refreá-las de vez em quando. Faça questão de respeito. Não seja você também uma das crianças. Converse com a sua companheira sobre a situação como um todo: como estamos nos saindo? Que mudanças precisamos fazer? Criar filhos em parceria pode ser mais um fator de união entre vocês dois.

Na prática

Quando os meninos são baixinhos

Os pais, às vezes, se preocupam se o filho não cresce tanto como os outros meninos. Ao que tudo indica, não há motivo para preocupação. Um recente estudo com 180 meninos e 78 meninas, com idades entre oito e 14 anos, baixinhos o bastante para serem encaminhados a um centro especial para avaliação, constatou que crianças com pouca altura não são mais propensas a desajustamento do que as mais altas.

Pesquisas anteriores sugeriram que os jovens mais baixos tinham mais tendência a timidez, ansiedade e depressão, mas esse estudo mais recente mostrou que não é bem assim. Talvez a sociedade esteja mudando, ficando mais diversificada e tolerante. Se a criança é elogiada e valorizada e se comunica bem dentro da família, ser diferente causa muito menos estresse.

No último estudo, os meninos baixinhos se descreveram como menos ativos socialmente, mas não tinham mais problemas de comportamento que os de altura mediana. As meninas observadas no mesmo estudo em geral eram mais equilibradas que as de altura normal. As crianças cujos pais eram baixos pareciam ter muito menos problemas, provavelmente pelo bom exemplo que tinham em casa. Esses pais eram menos inclinados a se preocupar ou buscar ajuda médica para superar a pouca altura.

Nos Estados Unidos, 20.000 crianças foram tratadas com o hormônio humano do crescimento, um tratamento que custa cerca de 30.000 dólares. Os médicos só recomendam tal procedimento se for realmente necessário, como nos casos de insuficiência renal ou outra disfunção que cause uma deficiência na produção do hormônio do crescimento. Os pediatras não acreditam que razões psicológicas sejam suficientes para justificar o tratamento, que é doloroso, inconveniente e pode "fazer mais mal do que bem".

No mundo atual, em boa hora, passamos a admitir maior variação na altura e no aspecto físico de adultos e crianças.

Encontrando um homem a quem imitar

O menino de seis a 14 anos ainda adora a mãe e tem muito a aprender com ela. Mas seus interesses começam a mudar: ele se volta mais para o que os homens têm a oferecer. O menino sabe que está ficando homem. Ele precisa "baixar o programa"[1] de alguém do sexo masculino que esteja disponível para completar seu desenvolvimento.

A função da mãe é relaxar e oferecer carinho e apoio. A função do pai é, progressivamente, aumentar seu envolvimento. Se não houver um pai por

---

1 *N.T.*: em inglês, "download the software".

perto, a criança precisa encontrar um substituto – na escola, por exemplo. Infelizmente, os homens estão desaparecendo do magistério, principalmente das escolas de ensino fundamental, o que cria um problema. Veremos mais sobre o assunto adiante.

A mãe que cria o filho sozinha

Durante milhares de anos, muitas mães precisaram criar seus meninos sem um homem em casa. Não há dúvida de que a mulher é capaz de criar um bom homem, mas (e esse é um "mas" bem grande) de todas aquelas com quem conversei, as bem-sucedidas sempre enfatizam que encontraram bons modelos masculinos, solicitando a ajuda de tios, amigos, professores, treinadores esportivos, líderes de grupos de jovens, e assim por diante, sempre escolhidos com muito cuidado, para evitar o risco de abuso sexual. Elas afirmam também que precisaram de muito apoio extra (amizades, massagem, tempo para si mesmas) para enfrentar a situação. Para mais informações sobre o assunto, veja a p. 98.

NA PRÁTICA

É DDA (Distúrbio de Deficiência de Atenção) ou DDAP (Distúrbio de Deficiência de Atenção do Pai)?

Faz dois anos, fui procurado depois de uma palestra por um homem chamado Don, que me contou sua história. Don era motorista de caminhão, e, um ano antes, seu filho de oito anos fora diagnosticado como portador do Distúrbio de Deficiência de Atenção, que começa na infância e se caracteriza por falta de atenção evolutivamente adequada, impulsividade e hiperatividade variável. Don leu o diagnóstico e, por falta de informação, concluiu que seu filho Troy não estava recebendo atenção suficiente. Certamente, era isso que "deficiência de atenção" queria dizer!

Don estabeleceu para si mesmo a meta de se envolver mais com Troy. Ele sempre teve a visão de que a educação dos filhos estaria melhor nas mãos da "patroa", enquanto ele trabalhava para pagar as contas. Depois daquele dia, tudo mudou. Nos feriados e, sempre que possível, depois da escola, Troy passeava no caminhão com o pai. E passou a acompanhá-lo nos fins de semana, quando Don frequentemente se reunia com os colegas de trabalho para longos passeios de motocicleta.

"Tínhamos de tomar um pouco mais de cuidado com a linguagem e as atitudes, mas os colegas entenderam, e alguns passaram a levar os filhos também", Don me contou com um sorriso.

A boa notícia é que em dois meses, mais ou menos, Troy estava bem mais calmo, tanto que não precisou mais tomar o remédio Ritalin – não tinha mais DDA. Mas pai e filho continuaram a sair juntos – porque gostavam.

Nota: não estamos afirmando que todos os casos de Distúrbio de Deficiência de Atenção sejam distúrbios de deficiência de atenção do pai, mas muitos são.

Resumindo

Durante todo o ensino fundamental e nas primeiras séries do ensino médio, os meninos devem passar bastante tempo com seus pais e mães, recebendo ajuda, aprendendo a fazer coisas e aproveitando sua companhia. Do ponto de vista emocional, esse é um período em que o pai é mais importante. O menino está pronto para aprender com o pai, para ouvir o que ele tem a dizer. Com frequência, dá mais atenção ao pai, o que deixa a mãe bem enciumada!

2. Os três estágios da infância

Esse espaço de tempo (mais ou menos dos seis aos 14 anos) é a melhor oportunidade que o pai tem de influenciar seu filho e construir as bases da masculinidade dele. É tempo de "arranjar tempo". As pequenas coisas são importantes: brincar no quintal nas noites de verão, caminhar falando da vida e contando histórias da própria infância, partilhar o prazer de *hobbies* e atividades esportivas. É quando ficam marcadas as boas lembranças que vão acompanhar você e seu filho por muitas décadas.

Não desanime se o menino parecer meio distante, repetindo a atitude que aprendeu com os colegas. Insista e vai encontrar sob aquela superfície de frieza um garoto divertido e agradável. Aproveite esse tempo em que ele realmente deseja estar com você. Já pela metade da adolescência, os interesses dele vão levá-lo cada vez mais para o mundo lá fora, e tudo que posso fazer aqui é insistir: não espere até que seja tarde demais!

Dos 14 em diante: ficando homem

Por volta dos 14 anos, começa um novo estágio. É uma fase em que os meninos costumam crescer depressa, enquanto uma coisa notável acontece dentro do organismo: os níveis de testosterona aumentam em quase 800 por cento!

Embora não existam dois meninos iguais, é comum que nessa idade eles fiquem meio rebeldes, inquietos e instáveis. Não é que estejam ficando maus. É que está nascendo um novo eu, e nascimento sempre envolve um certo conflito. Precisam encontrar respostas para questões importantes, partir para novas aventuras, enfrentar desafios e aprender competências necessárias à vida. Eles têm um relógio corporal que não para de dizer que já é hora disso ou daquilo.

Acredito que seja essa a época em que mais falhamos com os nossos jovens. Na nossa sociedade, tudo o que oferecemos ao adolescente é "mais da mesma coisa": mais escola, mais rotina doméstica. Mas o adolescente tem fome de algo além disso. Está hormonal e fisicamente pronto para assumir um papel adulto, e, no entanto, nós queremos que espere ainda uns cinco ou seis anos! Não admira que surjam problemas.

É preciso encontrar algo que ocupe o espírito do menino, que o leve decididamente na direção de uma paixão ou esforço criativo que dê asas à sua existência. Todos os pesadelos que povoam a imaginação dos pais (álcool, drogas, crimes) só acontecem quando não encontramos canais para o desejo que o jovem tem de glória e papéis heróicos. Os garotos olham para a sociedade e veem muito pouco em que acreditar ou em que se engajar. Mesmo sua rebeldia é empacotada e vendida de volta a eles sob a forma de propaganda e música.

Querem alcançar um lugar melhor e mais alto, mas não há nada assim à vista.

O que faziam as antigas sociedades?

Em todas as sociedades anteriores à nossa – das esquimós às africanas –, em todo tempo e lugar estudados, o adolescente recebia uma torrente de atenção e cuidados intensivos de toda a comunidade. Essas culturas já sabiam algo que estamos ainda aprendendo: que *os pais não podem cuidar de seus adolescentes sem a ajuda de outros adultos* confiáveis e dispostos a se envolver por longo período de tempo.

Uma razão para isso é que garotos de 14 anos enlouquecem seus pais e vice-versa. Entender-se com o filho *e* ensinar pode ser absolutamente impossível. Lembra-se de seu pai ensinando você a dirigir? É como se os dois machos ficassem com os chifres enroscados e as coisas só fizessem piorar. Se houver uma outra pessoa para completar, pai e filho podem relaxar um pouco. Há alguns filmes maravilhosos baseados nessa situação: *Lances inocentes*, com Joe Mantegna, e *Um passo para a liberdade*, com Albert Finney.

Tradicionalmente, dois procedimentos ajudavam o jovem a entrar na idade adulta. Primeiro, eles eram "assumidos" por um ou dois homens que exerciam a função de *mentores*, cuidando deles e ensinando habilidades que seriam importantes para a vida. E segundo, em certos estágios do processo, os jovens eram levados pela comunidade de homens mais velhos e *iniciados*. Isso significava passar por sérias atividades de crescimento, inclusive testes, ensinamentos sagrados e delegação de novas responsabilidades.

Histórias do coração

A iniciação do povo Lakota

O povo nativo norte-americano conhecido como Lakota talvez seja familiar a você por causa do filme *Dança com lobos*. Esse povo formava uma sociedade vigorosa e bem-sucedida, com uma cultura rica e caracterizada por um relacionamento especialmente bom entre homens e mulheres.

Por volta dos 14 anos, os meninos Lakota eram enviados para a "busca da visão", um teste de iniciação. Isso envolvia sentar e jejuar no alto de uma montanha até que a fome provocasse uma visão ou alucinação. A visão incluiria um ser que traria mensagens do mundo dos espíritos para orientar a vida do menino. Sozinho, assustado e em jejum no alto da montanha, ele ouvia os leões urrando e se movimentando na escuridão. Na verdade, os sons eram produzidos pelos homens da tribo, que ficavam à espreita para garantir a segurança do jovem. Ele era precioso

> demais para os Lakota, e seu povo jamais deixaria que corresse riscos desnecessários.
>
> Quando o menino voltava à tribo, seu feito era comemorado. Mas, a partir daquele dia, durante dois anos inteiros, *ele não tinha permissão de falar diretamente com sua mãe.*
>
> As mães Lakota, como todos os grupos de caçadores e colhedores, eram muito apegadas aos filhos, que geralmente dormiam nas tendas e cabanas das mulheres. Os Lakota acreditavam que, se o jovem falasse com a mãe logo depois de entrar na idade adulta, sentiria uma tal atração pela infância, que "cairia" no mundo das mulheres, não crescendo nunca.
>
> Passados dois anos, uma cerimônia reunia novamente mãe e filho, quando, então, ele já era um homem capaz de se relacionar com ela como tal. As mulheres que me ouvem contar essa história se emocionam, com pesar e alegria ao mesmo tempo. A recompensa que as mães Lakota ganhavam por esse "desprendimento" era a certeza de receberem de volta filhos adultos, respeitadores e amigos.

Podemos estabelecer um contraste entre a experiência Lakota e os filhos e mães de hoje em dia, que, muitas vezes, mantêm pela vida toda um relacionamento pouco amistoso, distante ou infantil. Seus filhos têm medo de se aproximar e, embora iniciados como homens, nunca se tornam independentes. Ao contrário: sua relação com todas as mulheres se dá em um nível de dependência e imaturidade. Sem fazer parte da comunidade dos homens, desconfiam deles e têm poucos amigos de verdade. Têm medo de se comprometer com as mulheres porque, para eles, compromisso significa cuidado e cuidado quer dizer controle. São verdadeiros "homens de lugar nenhum".

Somente deixando o mundo feminino, o jovem consegue interromper o modelo materno e se relacionar com as mulheres como adulto, de igual para igual. Violência doméstica, infidelidade e incapacidade de ter um casamento bem-sucedido podem ser resultados não de algum problema com as mulheres, mas de uma falha dos homens em orientar os meninos em sua jornada de transformação.

2. Os três estágios da infância

Talvez você pense que, nas antigas sociedades, as mães dos meninos – e talvez os pais também – se ressentissem de ver os filhos aos cuidados de outros. Mas não era assim. Os que iniciavam os jovens eram pessoas a quem conheciam bem e em quem confiaram a vida toda. As mulheres entendiam e recebiam bem a ajuda que sabiam necessária. Estavam entregando um menino instável e recebendo um jovem mais maduro e integrado. De quem provavelmente muito se orgulhavam.

A iniciação à idade adulta não acontecia em um "fim de semana" especial. Podia envolver meses de ensinamentos sobre atitudes e responsabilidades de um homem, sobre onde buscar força e orientação. As cerimônias de que normalmente ouvimos falar eram apenas a culminância. Às vezes, eram cruéis e assustadoras (não gostaríamos de voltar a elas), mas preparadas com cuidado, tinham um objetivo e eram valorizadas por quem passava por elas.

Na prática

Superando a tendência dos meninos à arrogância

É possível que os meninos tenham uma tendência natural a um certo grau de arrogância. Até recentemente, eles cresciam esperando ser servidos pelas mulheres e, em algumas culturas, ainda são tratados como pequenos deuses. No mundo moderno, o resultado disso pode ser um garoto detestável, que ninguém quer por perto.

> • • •
> Portanto, é muito importante que os meninos aprendam a humildade por meio de experiências como pedir desculpas, ajudar e respeitar os outros. Os meninos precisam ter noção de seu lugar no mundo, ou o mundo, provavelmente, nos ensinará uma lição cruel.
> Sempre que você for maltratado por um jovem – levar um encontrão de um *skatista*, ouvir uma palavra áspera de um vendedor ou tiver a sua casa arrombada – é sinal de que está diante de alguém que não aprendeu a lição da humildade.
> Os adolescentes têm uma tendência natural a um certo egoísmo, a adaptar seus padrões morais ao próprio interesse e a ser insensíveis aos outros. A nossa missão como pais é atraí-los para discussões sérias sobre suas obrigações para com o próximo, sobre o que é justo e o que é certo ou errado. Devemos reforçar alguns aspectos básicos: "Seja responsável. Analise bem as coisas. Pense nos outros. Pense nas consequências". Apenas amar as suas crianças não é o bastante; é preciso algum rigor. As mães começam, os pais reforçam, e os mais velhos acrescentam sua influência.
> Uma boa estratégia é envolver os jovens em projetos assistenciais – com idosos, deficientes ou crianças que precisem de aulas ou ajuda. Assim, aprendem a satisfação de servir enquanto crescem em autoestima.

Para resumir: as sociedades tradicionais dependiam, para sua sobrevivência, de criar jovens competentes e responsáveis. Era uma questão de vida ou morte, que não podia ser deixada ao acaso. Para isso, desenvolviam programas proativos, e o processo envolvia toda a comunidade adulta em um esforço concentrado. Algumas maneiras de fazer isso nos dias atuais são descritas no capítulo final, "Um desafio para a comunidade".

No mundo moderno

Atuar como mentor é, hoje em dia, uma atividade esporádica e não planejada, e muitos garotos passam pela juventude sem mentor algum. Os

2. Os três estágios da infância

que atuam como mentores (técnicos esportivos, tios, professores e chefes) raramente compreendem seu papel e acabam fazendo um trabalho medíocre. Antigamente, a relação entre mentor e aprendiz acontecia no local de trabalho, onde o jovem, além do ofício, aprendia muito sobre atitudes e responsabilidade. Isso praticamente desapareceu. Você não vai conseguir muito quanto à relação mentor-aprendiz prestando serviços ao supermercado local nos fins de semana.

Histórias do coração

A história de Nat, Stan e a motocicleta

Nat tinha 15 anos e a vida não ia lá muito bem para ele. Nat sempre detestou a escola, tinha dificuldade em escrever e em outras disciplinas também. A escola que frequentava funcionava de maneira integrada. Pais, orientadores e o diretor se conheciam e sempre se encontravam para trocar ideias. Num desses encontros, ficou decidido que, se Nat arranjasse um emprego, lhe dariam uma dispensa. Talvez ele fosse um daqueles rapazes que se dão melhor no mundo adulto do que entre a garotada do ensino médio.

Felizmente, Nat conseguiu um emprego com o dono de uma pizzaria – "Stan's Pizza" – e deixou a escola. Stan tinha cerca de 35 anos e, como trabalhava sozinho e os negócios estavam prosperando, precisava de um ajudante. Nat adorou o trabalho. Sua voz ficou mais grossa, ele cresceu, e seu saldo bancário também. Mas seus pais logo tiveram um novo motivo para se preocupar: Nat planejava comprar uma motocicleta das grandes para se deslocar entre a casa – em uma estrada sinuosa e insegura nas montanhas – e o trabalho. Com horror, seus pais viam as economias de Nat se aproximando do preço da moto. Sugeriram um carro, mas foi inútil. E o tempo passou.

Um dia, Nat chegou em casa e, bem ao jeito dos adolescentes, resmungou alguma coisa a caminho da mesa do jantar. Alguma coisa a respeito de um carro. Os pais pediram que repetisse, sem muita certeza de serem atendidos. "Não vou mais comprar a moto. Stan acha que o cara tem que ser muito idiota para comprar uma moto morando aqui. Ele acha melhor esperar mais um pouco e comprar um carro".

"Graças a Deus que Stan existe!", os pais de Nat pensaram. Mas seu único gesto foi sorrir e continuar a jantar.

Solicitando ajuda

Dos 14 aos 20 e poucos anos, o jovem vai se separando dos pais e entrando no mundo adulto. Os pais se afastam um pouco, mas mantêm o cuidado e atenção. É nessa época que o filho começa a desenvolver uma vida independente da família. Ele tem professores que você mal conhece, experimenta situações de que você nunca ouviu falar e enfrenta desafios em que você não tem como ajudar. É meio assustador.

Um jovem de 14 ou 16 anos está muito longe de estar pronto para a vida "lá fora". Outras pessoas precisam atuar como ponte, e é isso que fazem os mentores. Um jovem não deve ficar num grupo em que não haja nenhum adulto para cuidar dele. Mas o mentor é mais que treinador ou professor: é especial para o jovem, e o jovem é especial para ele. O jovem de 16 anos nem sempre ouve o que dizem os pais; a tendência é não ouvir. Mas com o mentor é diferente. É essa a época em que o jovem comete "erros gloriosos", e parte da missão do mentor é garantir que tais erros não sejam fatais.

Os pais precisam assegurar que exista a figura do mentor, mas devem ter extremo cuidado na escolha de quem vai assumir esse papel. Pertencer a um grupo social estruturado ajuda muito – uma igreja atuante, um esporte de que toda a família participe, uma escola orientada para a comunidade ou um grupo de amigos realmente solidários.

Você precisa de amigos assim para fazer o que faziam os tios e tias, alguém que goste das suas crianças e cuide delas. São amigos que podem demonstrar interesse pelos jovens, procurar conhecer suas opiniões. O que se espera é que recebam os seus filhos nas casas deles, lhes deem um "pontapé no traseiro" de vez em quando e ofereçam um ombro amigo quando as coisas em casa estiverem meio tensas. Muitas vezes, acontece de a mãe se desentender com a filha adolescente que, então, corre e vai chorar as mágoas com a mãe da melhor amiga que mora na mesma rua. É para isso que servem as amigas!

Você pode fazer o mesmo com os filhos delas. Adolescentes são adoráveis quando não são nossos!

Crianças isoladas estão em perigo

Adolescentes sofrem muito quando seus pais se isolam. Sei disso por experiência própria. Quando os meus pais emigraram para a Austrália, tornaram-se ainda mais retraídos do que já eram. Nunca formaram um círculo de amizade onde pudéssemos nos expandir gradualmente. Por isso, quando minha irmã e eu chegamos à metade da adolescência, tivemos de penetrar no mundo adulto de maneira dramática e arriscada. Alguns jovens na mesma situação sentem profunda tristeza, ficam mentalmente enfermos, anoréxicos ou com tendências suicidas. Outros se revoltam tanto, que se juntam a grupos onde se expõem a drogas, a uma vida de crimes e exploração sexual. Se você tem filhos adolescentes, aproxime-se da comunidade, faça parte dela, criando uma rede social para os seus jovens. Um ermitão não tem como criar bem os filhos.

E se não houver um mentor disponível?

Sem um mentor por perto, o jovem pode tropeçar em muitos buracos na estrada rumo à idade adulta. Pode brigar com os pais sem necessidade, na tentativa de se sentir independente. Pode tornar-se retraído e deprimido. O jovem tem muitos dilemas a enfrentar e decisões a tomar: sobre sexualidade, carreira, ou como reagir às drogas e ao álcool. Se a mãe e o pai tiverem tempo para ele e mantiverem contato com seu mundo, ele vai continuar falando desses assuntos. Mas, às vezes, há necessidade de falar também com outros adultos. Foi feito um estudo que demonstrou que um único bom amigo adulto que não pertença à família já é uma prevenção importante à delinquência juvenil. Desde que o amigo não pertença ao mundo do crime!

O jovem vai fazer de tudo para dar estrutura e orientação à vida. Talvez escolha o renascimento por meio da religião ou de um culto oriental, mergulhe na internet, se decida por uma atividade musical ou esportiva, ou entre para uma gangue ou para uma turma de "surfe". Se não oferecermos uma comunidade para o jovem se engajar, ele vai procurar por conta própria – e pode ser um grupo de almas perdidas, sem capacidade ou conhecimento para ajudar seus membros. Muitos círculos de amizade dos meninos não passam de elementos isolados, que têm quase nada a partilhar e pouco apoio a oferecer.

O pior que podemos fazer aos adolescentes é deixá-los "à deriva". É por isso que nessa idade são necessários professores, treinadores, líderes de grupos de escoteiros, monitores e outras fontes de envolvimento adulto realmente boas. É preciso que haja algo especial para cada jovem – eis uma obrigação difícil.

Hoje em dia, a maioria das mães cumpre bem seu papel e a atuação dos pais está passando por grande reformulação. Encontrar bons mentores na nossa comunidade é o próximo grande salto.

EM POUCAS PALAVRAS

1. Entre o nascimento e os seis anos, os meninos precisam de muito afeto, para que possam "aprender a amar". Falar e ouvir, ensinar e aprender num relacionamento interpessoal contribui para a conexão com o mundo. A mãe é a melhor pessoa para fazer isso, embora o pai possa assumir sua parte.

2. Por volta dos seis anos, o menino começa a demonstrar um forte interesse pela masculinidade e o pai se torna a figura principal. O interesse e o tempo que o pai dedica ao filho assumem importância primordial. No entanto, o papel da mãe ainda é importante e ela não deve deixar o filho de lado só porque ele está crescendo.

3. A partir dos 14 anos, mais ou menos, o garoto precisa de mentores – outros adultos que cuidem dele pessoalmente e o ajudem a penetrar aos poucos num mundo maior. Nas antigas sociedades, havia uma cerimônia de iniciação para marcar esse estágio, e era muito mais fácil encontrar um mentor.

4. As mães que criam os filhos sozinhas podem cumprir bem sua tarefa, mas devem procurar modelos masculinos bons e seguros, não se esquecendo de reservar um tempo para si mesmas, já que trabalham por dois.

Notícia especial:
AS DIFERENÇAS ENTRE OS SEXOS SÃO REAIS!

Nos últimos 30 anos, a teoria mais em moda foi aquela que garante que as diferenças entre meninos e meninas são impostas pelo condicionamento. Segundo esse pensamento, todas as diferenças de gênero vêm das roupas e brinquedos que damos às crianças. Pais bem-intencionados e muitas escolas de educação infantil e ensino fundamental passaram a insistir para que os meninos brincassem com bonecas, e as meninas, com blocos Lego. A opinião reinante era que, se criássemos meninos e meninas do mesmo modo, os problemas e as diferenças entre os sexos desapareceriam.

O objetivo era romper com antigos estereótipos – de que a moça só poderia seguir a carreira de secretária ou enfermeira, enquanto o menino só poderia ser médico, homem de negócios ou soldado. Foi uma importante mudança social, talvez a mais importante do século 20.

Qualquer ideia de que pudesse haver diferenças biológicas intrínsecas entre meninos e meninas era contrária a essa teoria e qualquer tentativa nesse sentido era desestimulada. Coisas terríveis foram feitas em nome da Biologia. Por exemplo: durante o século 20, afirmou-se que a mulher tinha o cérebro menor e por isso não se adaptava bem a tarefas além da maternidade e do cuidado da casa. (Afinal, a maternidade exigia pouco cérebro!) Por extensão, as mulheres não podiam votar, receber pagamento igual ao dos homens ou possuir propriedades. Para alcançar a igualdade entre homens e mulheres, entre os anos 1970 e 1980, era importante argumentar que as mulheres nasceram iguais aos homens. Pesquisas sobre as diferenças

2. Os três estágios da infância

entre os sexos tornaram-se um assunto tabu, porque ninguém queria ser visto como contrário à causa da liberação da mulher.

Hoje em dia, algumas sombras começam a surgir. Já existe a disposição para aceitar que certas diferenças não são criadas socialmente e que não há problema algum em ser assim – o que não significa que meninas sejam melhores que os meninos, e vice-versa. Se o cérebro da menina se desenvolve mais depressa que o do menino, vamos planejar de modo que essa diferença não seja problema. Se, na escola, o menino prefere receber instruções claras, e a menina prefere o trabalho em grupo, vamos acomodar as duas situações. Se o menino prefere usar o corpo, e a menina gosta de usar as palavras, vamos ajudá-los a se entenderem e "falarem a língua do outro". Assim, vai haver menos acusações e mais compreensão.

Nos dois próximos capítulos, veremos as duas maiores diferenças que influem sobre a aprendizagem e o desenvolvimento dos nossos filhos.

- De que forma os hormônios, como a testosterona, atuam sobre o comportamento dos meninos e o que fazer a respeito.

- Como o cérebro de meninos e meninas cresce de maneira diferente e afeta seu modo de pensar e agir.

Na prática

Conhecendo as diferenças

Algumas das verdadeiras diferenças entre os sexos são tão óbvias que é surpreendente que tenham sido subestimadas. Por exemplo: o garoto comum tem 30% a mais de massa muscular que a garota comum. Os garotos são mais fortes, têm o corpo mais inclinado à ação e têm mais glóbulos vermelhos – o verdadeiro garoto de sangue quente! Isso não tem nada a ver com condicionamento de gênero. Temos que dar aos meninos muitas oportunidades de se exercitarem – e às meninas também, se elas quiserem. Os meninos precisam de ajuda extra para se controlarem e não saírem batendo em meninos e meninas. E elas precisam aprender a não usar a habilidade verbal superior que possuem para implicar com eles e humilhá-los. E assim por diante.

Isso não significa dizer que "todo menino *deve*..." ou que "toda menina *deve*...". Afinal de contas, algumas meninas são mais fortes e mais voltadas para o físico que os meninos. Algumas precisam aprender a não usar violência. Em Sydney, alguns pais tiraram os filhos de uma determinada escola, porque apanhavam das meninas. As diferenças entre os sexos são generalizações que permanecem verdadeiras durante o tempo em que forem úteis.

Os meninos e a audição

Às vezes, os meninos e as meninas também podem sofrer de perda de audição. Em casa ou na sala de aula, é importante verificar se a desobediência não é causada pelo fato de a criança não ouvir o que você lhe diz para fazer. Se suspeitar de perda de audição, consulte um médico. O problema pode ser tratado com facilidade, e é importante fazer o diagnóstico precoce, para que não haja atrasos no desenvolvimento da linguagem ou no rendimento escolar.

Capítulo 3

Testosterona!

Janine está grávida de sete semanas e muito animada. Ela ainda não sabe, mas seu bebê vai ser um menino. Dizemos "vai ser" porque o feto ainda não está definido. Talvez você se surpreenda ao saber que todas as criaturas começam a vida como fêmeas. O cromossomo Y, que determina o sexo masculino, é um cromossomo adicional que começa a agir no útero para dar ao bebê alguns detalhes extra de que ele precisa para ser menino e impedir o crescimento de outros. Um macho é uma fêmea com acessórios opcionais. É por isso que todo mundo tem mamilos, embora não sejam necessários para todos nós.

O ciclo da testosterona

Por volta da oitava semana de gestação, o cromossomo Y vai alterar as células do corpinho do bebê de Janine, e a testosterona vai começar a ser produzida. Como resultado dessa nova presença química, o bebê começa a se parecer mais com um menino – os testículos e o pênis crescem, e surgem outras mudanças mais sutis em seu cérebro e em seu corpo. Uma vez formados (lá pela décima-quinta semana já estarão inteiramente desenvolvidos), os testículos também começam a produzir testosterona, e o menino vai ficando cada vez mais masculino.

Se Janine passar por uma fase de *muito* estresse, seu corpo pode suprimir a testosterona do corpo do bebê Jamie, e seus testículos e seu pênis talvez não estejam inteiramente desenvolvidos quando ele nascer. Mas o desenvolvimento se completa durante o primeiro ano de vida.

Logo depois de nascer, o jovem Jamie vai ter tanta testosterona em sua corrente sanguínea quanto um garoto de 12 anos! Todo esse hormônio é necessário para estimular seu corpo a desenvolver as qualidades masculinas a tempo para o nascimento. Essa "ressaca" de testosterona faz com que ele tenha ereções passageiras de vez em quando, enquanto recém-nascido.

Alguns meses depois, o nível de testosterona já estará reduzido a cerca de um quinto e vai continuar muito baixo pelos primeiros anos de vida. Nessa fase (tenho certeza de que você está de acordo), meninos e meninas têm comportamentos muito parecidos.

Aos *quatro* anos, por razões que ninguém ainda compreende bem, os meninos recebem uma súbita onda de testosterona: os níveis dobram. É então que o pequeno Jamie pode se tornar muito mais interessado em ação, heróis, aventuras e brincadeiras movimentadas. O pai costuma ficar satisfeito, porque tem um companheiro para jogar bola, cuidar do jardim e interagir de maneiras que eram impossíveis quando o menino não passava de um bebê pequenino e indefeso.

Aos *cinco* anos, o nível de testosterona cai pela metade, e novamente o jovem Jamie se acalma, bem a tempo de começar a ir para a escola! A testosterona que circula em seu corpo ainda é suficiente para que ele se interesse por atividades, aventuras e explorações, mas não especialmente por garotas.

Em algum momento, entre os *11* e os *13* anos, os níveis de testosterona voltam a subir significativamente, chegando a 800% em relação aos primeiros anos de vida. O resultado é um crescimento súbito e um alongamento de braços e pernas – tão grande que todo o sistema nervoso tem de se reestruturar. Para os que entendem de computador, é mais ou menos como instalar a última versão do Windows! Em cerca de 50% dos garotos, os níveis de testosterona são tão altos, que uma parte se converte em estrogênio, deixando as mamas inchadas e sensíveis. Nada preocupante.

O CÉREBRO VIAJA

A reorganização do cérebro de Jamie, causada pelo crescimento rápido, faz com que ele seja, por muitos meses, um menino desligado e desorganizado. Durante algum tempo, o pai e a mãe têm que agir como cérebro substituto. Se não estiverem conscientes das razões para o comportamento do filho, podem pensar que cometeram algum erro. Se os pais de Jamie souberem que tudo isso faz parte da puberdade e adotarem uma atitude tranquila, mas vigilante, tudo vai acabar bem.

Aos *14* anos, o nível de testosterona está no máximo, e os pelos pubianos, a acne, um forte impulso sexual e uma inquietação difusa podem deixar Jamie e todos em volta dele meio enlouquecidos.

Quando Jamie chega aos seus *20 e poucos anos*, as coisas se acalmam em relação aos hormônios. O nível de testosterona continua alto, mas seu organismo já está acostumado e não reage tanto. As ereções estão um pouco mais controladas. O hormônio continua a conferir a ele características masculinas mesmo mais tarde, tais como colesterol alto, calvície, pelos nas narinas, e assim por diante! O lado positivo disso tudo é que a testosterona lhe dá ondas de energia criativa, o gosto pela competição e a vontade de realizar e proteger. Espera-se que essas energias sejam canalizadas para atividades e para escolhas quanto à profissão, assim como uma vida sexual feliz, trazendo todo tipo de benefício e satisfação.

Quando Jamie passar dos *40*, seus níveis de testosterona sofrerão um declínio lento e gradual. Haverá dias em que ele nem vai pensar em sexo! Na cama, a qualidade vai substituir a quantidade. Jamie não precisará mais provar nada, estará mais maduro e ponderado. Assumirá uma liderança tranquila em situações de grupo e de trabalho. Valorizará a amizade e, então, conseguirá dar suas melhores contribuições para o mundo.

Não existem dois meninos iguais.

O que descrevemos aqui é o padrão para o menino comum. Há, entretanto, uma grande variação entre as pessoas do sexo masculino e também muitos pontos em comum entre os sexos. Algumas meninas têm mais comportamento do tipo testosterona do que alguns meninos, e alguns deles têm mais comportamento do tipo estrogênio do que algumas delas. No entanto, o padrão geral é válido para a maioria das crianças.

Compreender os hormônios dos meninos e seus efeitos significa compreender o que está acontecendo, ser útil e agir com solidariedade. Assim como o bom marido entende a TPM (tensão pré-menstrual) de sua parceira, os bons pais entendem a TPM (testosterona precisando de moderação) do filho.

3. Testosterona!

Por que os meninos disputam e brigam?

A testosterona também afeta o humor e a energia. É mais do que apenas um hormônio do crescimento que, sem dúvida, causa um comportamento agitado e turbulento. É por isso que, durante séculos, foi costume castrar os cavalos: para que ficassem mais calmos. A testosterona, injetada em ratas, fez com que elas tentassem acasalar com outras fêmeas e lutassem entre si. Ela faz algumas partes do cérebro crescerem e outras estacionarem o crescimento. Além disso, pode desenvolver mais músculos e menos gordura, e pode fazer você ficar careca e de mau humor!

Um famoso estudo ilustra bem como a testosterona afeta a psicologia dos machos. Um grupo de macacos era observado de perto em um laboratório, para que se aprendesse como funcionava sua estrutura social. Os pesquisadores descobriram que os machos tinham uma hierarquia definida ou ordem social. A hierarquia das fêmeas era menos rígida, mais indefinida e se baseava em quem catava o pelo de quem! Mas os machos sempre sabiam quem era o chefe, o subchefe e o subsubchefe, e lutavam com frequência para provar isso.

Depois que os pesquisadores compreenderam a dinâmica dos macacos, dedicaram-se a provocar confusão. Capturaram o macho que ocupava o lugar mais baixo na hierarquia, aplicaram-lhe uma injeção de testosterona e o devolveram ao grupo. Sabe o que aconteceu em seguida? Ele começou uma luta com seu "superior imediato" e, para sua própria surpresa, venceu! Então, partiu para o macaco seguinte. Em 20 minutos, tinha subido até o topo da escala hierárquica e desalojou o maior macaco do galho mais alto. O nosso herói era pequeno, mas tinha *testosterona*! Ele se tornou o "gerente em exercício".

Infelizmente, para ele, a situação não durou muito. Passou o efeito da injeção, e o macaquinho foi mandado de volta à parte mais baixa do grupo.

A verdade é que a testosterona atua sobre o cérebro e deixa os meninos mais preocupados com classificação e competição.

MENINOS PRECISAM DE ORDEM

Em seu livro *Raising a son*, Don e Jeanne Elium contam a história de um velho chefe escoteiro que chegou à cidade e assumiu um grupo de garotos incrivelmente bagunceiros. Era um verdadeiro inferno: eles viviam brigando e quebrando coisas, não aprendiam nada, e alguns meninos mais quietos, não suportando a situação, deixaram o grupo. Era preciso dar um jeito. Logo na primeira noite que passou com eles, o chefe escoteiro estabeleceu algumas regras, convidou dois garotos a se adaptarem ou irem embora, instalou uma estrutura clara e começou a ensinar habilidades de maneira organizada. A transformação foi enorme. Em dois meses, o sucesso era completo.

O chefe escoteiro explicou ao casal Elium que, pela experiência dele, os garotos sempre precisam saber destas três coisas.

1. Quem está no comando?
2. Quais são as regras?
3. Essas regras vão ser aplicadas com justiça?

A palavra-chave é estrutura.

Quando a situação não está bem estruturada, os meninos se sentem inseguros, em perigo. Se ninguém está no comando, eles começam a competir para determinar a ordem social. Sua natureza movida a testosterona os leva a querer estabelecer hierarquias, mas, como são todos da mesma idade, nem sempre conseguem. Se oferecermos a eles uma estrutura, eles relaxam. Para as meninas, isso não tem tanta importância.

Anos atrás, passei algum tempo nas favelas de Calcutá para ver como viviam as famílias de lá. À primeira vista, Calcutá parecia caótica e assustadora. Entretanto, nas comunidades, havia uma hierarquia, e as gangues de jovens tinham seus chefes que, bem ou mal, ofereciam uma estrutura para as pessoas viverem. Elas se sentiam mais seguras tendo uma estrutura, mesmo que semelhante à da Máfia, do que não tendo nenhuma. Quando líderes comunitários ou religiosos confiáveis e competentes passaram a oferecer uma estrutura superior à anterior, a vida ficou ainda melhor. Sempre que você vir uma gangue de jovens rebeldes, pode ter a certeza de que está faltando a liderança de um adulto. Os rapazes formam gangues para sobreviver. É sua tentativa de pertencer a um grupo, de ter ordem e segurança.

Rapazes agem com violência para disfarçar o medo que sentem. Quando percebem que têm um chefe, eles relaxam. Mas não pode ser um chefe arbitrário ou punitivo. Se o chefe for um valentão, o nível de estresse dos rapazes aumenta, e voltam todos à lei da selva. Se o professor, chefe escoteiro ou pai for gentil e justo, embora severo, os rapazes deixam de lado sua atitude de "macho" e progridem no aprendizado.

Isso parece ser uma diferença inerente ao sexo. Quando uma menina se sente pouco à vontade em um grupo, tende a se retrair e ficar quieta, enquanto um menino reage a uma situação semelhante se agitando e fazendo barulho. Equivocadamente, viu-se essa diferença de atitude como "dominação do espaço" pelos meninos, especialmente na pré--escola. Na verdade, trata-se de uma resposta à ansiedade. As escolas que procuram integrar os meninos em atividades concretas e interessantes (as montessorianas, por exemplo, em que se trabalha muito com blocos, formas concretas, contas etc.) não experimentam esse tipo de diferença de comportamento entre suas crianças.

Mas a ideia de que os hormônios afetam o comportamento dos meninos não é aceita por todos. Algumas biólogas feministas argumentam que os homens produzem testosterona por condicionamento, que resulta do modo como são criados. Há nisso uma meia verdade. Um estudo concluiu que os meninos que vivem em ambientes escolares ameaçadores ou violentos produzem mais testosterona. Quando a mesma escola modificou seu ambiente, tornando-o mais amistoso, no qual os professores não gritam nem ameaçam, e a violência é tratada com programas especiais, os níveis de testosterona dos meninos caíram consideravelmente. Então, tanto o ambiente quanto a Biologia tiveram influência.

Mas o ambiente só influencia o hormônio. Quem cria é a natureza – junto com o calendário interno dos meninos. Uma relação bem-sucedida com os meninos significa aceitar sua natureza e orientá-la para o melhor caminho. Tentar transformar meninos em meninas é um projeto destinado ao fracasso.

COMO SURGIRAM AS DIFERENÇAS ENTRE MACHO E FÊMEA?

A evolução muda constantemente a forma de todas as criaturas vivas. Os primeiros seres humanos, por exemplo, tinham dentes e mandíbulas enormes para poderem mastigar alimentos crus. Mas, depois que o fogo e o cozimento foram descobertos, a mandíbula e os dentes foram diminuindo após muitas gerações, porque os alimentos se tornaram mais macios. Então, foi o nosso comportamento que fez mudar a forma física. Se continuarmos por mais alguns milhares de anos comendo *fast-food*, vamos acabar completamente sem queixo!

3. Testosterona!

EVOLUÇÃO DOS MAXILARES HUMANOS

Nos seres humanos, existem algumas diferenças óbvias entre os sexos: tamanho, quantidade de pelos, e assim por diante. Mas as diferenças principais não estão visíveis. Elas se formaram devido à diferença de papéis exercidos por homens e mulheres durante grande parte da nossa história. As sociedades de caçadores e coletores dividiam o trabalho principalmente conforme o sexo. Durante 99% da história da humanidade, as mulheres tiveram como atividade principal a colheita, e os homens tiveram como atividade principal a caça.

A caça era uma atividade especializada. Exigia ação rápida em conjunto, reação muscular imediata e vigorosa em explosões curtas e capacidade de decisão. Uma vez localizada a caça, não havia tempo para discussões: todos deviam fazer o que aquele que estivesse no comando ordenasse.

O trabalho das mulheres era diferente: apanhar sementes, raízes e insetos, além de cuidar das crianças. Havia tempo para discutir. Era um trabalho que exigia habilidade manual e sensibilidade. Como resultado, todas as fêmeas da espécie humana têm muito mais sensibilidade nos dedos que os machos. O trabalho das mulheres exigia cautela, constância e atenção a detalhes, ao passo que a caça exigia um certo grau de ousadia e mesmo de sacrifício. Os corpos femininos se tornaram em geral menores, mas mais resistentes. Os corpos masculinos se tornaram melhores quando era preciso uma rápida explosão de força, mas muito mais fáceis de sucumbir diante de uma gripe ou uma unha encravada! As diferenças não eram grandes e alguma flexibilidade nos papéis provavelmente ajudava. Assim, nos tornamos uma espécie com pequenas mas importantes diferenças entre corpos e cérebros masculinos e femininos.

A tradição da espécie de caçadores e coletores nos deixou um legado problemático. No terceiro mundo, onde as pessoas vivem principalmente da agricultura, os homens em geral não trabalham tanto quanto as mulheres. Provavelmente porque estão esperando um inimigo para lutar ou um animal para caçar!

Ligações entre sexo e agressividade

Os estudos com primatas dão algum suporte à ideia de que os machos com mais poder têm mais impulsos sexuais. No esporte, os jogadores da equipe vencedora têm um nível de testosterona mais alto (depois do jogo) do que os da equipe perdedora. E, de acordo com historiadores, muitos grandes líderes, como o presidente Kennedy, por exemplo, tinham forte impulso sexual, chegando a um nível dramático e incapacitante. Não deve ser muito fácil governar um país ao mesmo tempo em que se procura por sexo o tempo todo.

Em 1980, um estudo sobre delinquência juvenil apontou uma estranha conexão: os meninos são muito mais propensos a problemas com a polícia seis meses antes de sua primeira experiência sexual. Em outras palavras, eles se acalmam um pouco quando começam a fazer sexo. Como todos os garotos se masturbam nessa idade, não se pode concluir que a causa seja a liberação da frustração sexual. Mas talvez os meninos, ao encontrar um amor na vida real, sintam que "passaram a pertencer à

3. Testosterona!

> PODE ME AJUDAR? ESTOU COM IMPULSOS CRIMINOSOS!

raça humana". Não que estejamos recomendando essa cura para o crime, mas faz sentido.

Sexo e agressividade estão ligados de algum modo – controlados pelos mesmos centros no cérebro e pelo mesmo grupo de hormônios. Essa tem sido a fonte de terríveis padecimentos e tragédias para homens, mulheres e crianças que sofreram investidas sexuais. Por causa dessa conexão, é muito importante que os meninos aprendam a se relacionar com as mulheres como pessoas, ter empatia e ser bons amantes.

Os hormônios não servem de desculpa para a agressividade masculina. É vital estabelecer a separação entre os estímulos da violência e os do sexo. Nunca deveriam ser produzidos nem exibidos filmes ligando os dois. O enredo de muitos filmes tipo B que ligam estupro e vingança não é uma boa ideia.

Mesmo os adultos podem tirar conclusões erradas. Há pouco tempo, uma agência matrimonial teve de aconselhar um senhor de seus 60 e tantos anos por estar sendo muito afoito sexualmente nos encontros arranjados pela agência. O homem, pessoa muito educada e respeitada, viúvo fazia dois anos, fez uma pesquisa na revista *Cosmopolitan* para descobrir do que as mulheres de hoje gostam e procurava agir de acordo!

Filmes pornô também não são bons. O típico filme pornô é simples e bobo: gente pouco atraente repetindo muitas e muitas vezes o mesmo movimento. Onde andam as histórias de um amor terno, sensual, brincalhão e impetuoso com enredos que incluem conversação, convivência e delicadeza, de modo que o adolescente aprenda um tipo de sexualidade mais completa?

Contudo, a superação da violência sexual provavelmente começa mais cedo. E aí se inclui tratar as crianças com mais carinho. Raymond Wyre, um britânico especialista no tratamento de homens que abusaram sexualmente de crianças, constatou em seu trabalho que, embora nem todos tivessem sido vítimas de violência sexual (apesar de muitos terem passado por isso), todos, sem exceção, sofreram crueldade e abandono na infância. Para o especialista, a falta de empatia, resultado da falta de compreensão e carinho, era fator determinante para que alguém fosse capaz de atacar sexualmente outro ser humano.

Orientando os garotos "impetuosos"

A testosterona dá energia e determinação. Um garoto com altos níveis do hormônio dá um bom líder. Logo no início do ano letivo, é comum os professores notarem um tipo de menino que vai ser o herói da turma ou um perfeito vilão. Para ele, não existe meio termo. Suas características são estas:

- atitudes desafiadoras e competitividade;
- maturidade física;
- altos níveis de energia.

Se o professor conseguir se aproximar desse menino e direcionar suas energias para metas positivas, ele vai se desenvolver e se destacar na escola. Se o pai, a mãe, o professor ou professora ignorarem, se afastarem ou tiverem atitudes negativas em relação ao menino, seu orgulho vai depender de provar que é mais forte que o adulto, e os problemas vão se acumular. Eles são líderes em potencial, mas liderança tem que ser ensinada desde cedo.

3. TESTOSTERONA!

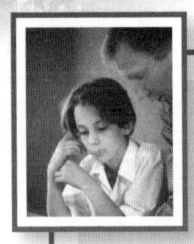

1. Todo menino é afetado pelo nível de testosterona. É ela que provoca os estirões de crescimento, a atividade, a competitividade e faz o menino precisar de orientação firme e de ambiente seguro e ordeiro.

2. A testosterona é responsável por mudanças significativas:

   • aos quatro – atividade e masculinidade;
   • aos 13 – crescimento rápido e desorientação;
   • aos 14 – teste de limites e partida rumo à idade adulta.

3. O garoto com testosterona na corrente sanguínea gosta de saber quem é o chefe, mas quer ser tratado com justiça. Ambientes ruins fazem aparecer o que ele tem de pior. O garoto com muita testosterona precisa de ajuda especial para desenvolver qualidades de liderança e canalizar suas energias para metas positivas.

4. O menino precisa aprender a empatia e o sentimento bem como conhecer a ternura para se tornar sexualmente afetuoso.

5. Algumas meninas têm bastante testosterona, mas, de modo geral, é coisa de menino. Testosterona equivale a vitalidade, e cabe a nós aceitarmos isso, canalizando-a para uma direção saudável.

Fatos surpreendentes sobre a testosterona

- No reino animal, existe um tipo de hiena – a hiena pintada – que nasce com tanta testosterona, que mesmo os filhotes do sexo feminino nascem com um pseudopênis e seus órgãos genitais externos se parecem com testículos. As hienas pintadas nascem com a dentição completa e os filhotes são tão agressivos que se devoram uns aos outros com um ou dois dias de nascidos!

- Numa rara condição dos bebês do sexo masculino encontrada na República Dominicana, a testosterona não faz efeito no útero por causa da falta de uma enzima. Esses bebês nascem sem pênis ou testículos, parecendo meninas e são criados como tal. Mas, por volta dos 12 anos de idade, aumenta a produção de testosterona no organismo, e eles subitamente se tornam meninos "de verdade", desenvolvendo pênis e testículos, engrossando a voz etc. E passam a viver normalmente como homens. São conhecidos como crianças "do pênis aos 12".

- Existe uma condição conhecida como hiperplasia congênita da suprarrenal que pode dar às meninas excesso de testosterona enquanto ainda estão no útero, mas tudo se equilibra quando elas nascem. Embora sejam hormonalmente normais daí por diante, essas meninas demonstram capacidade atlética acima da média, preferem os colegas do sexo masculino como parceiros de jogos, gostam de brincar com armas e carrinhos e apreciam roupas "masculinas".

- Uma sensibilidade excessiva à testosterona ou o excesso desse hormônio têm sido ligados significativamente à habilidade matemática, à preferência pelo uso da mão esquerda e à alta incidência de asma e alergias.

3. TESTOSTERONA!

- Está demonstrado que o estrogênio (o hormônio feminino correspondente à testosterona) faz as células nervosas desenvolverem mais conexões. As mulheres têm cérebros menores, mas mais bem conectados.

- Entre os cantores dos coros do País de Gales, os barítonos não só têm mais testosterona que os tenores como são mais ativos sexualmente.

- Fazer amor faz subir o nível de testosterona. Quanto mais você faz, mais quer fazer – pelo menos por alguns dias! Uma vitória no esporte ou na política eleva o nível de testosterona. O estresse e a solidão reduzem, fazendo com que seja produzido mais estrogênio, para que o homem possa lidar com a situação do ponto de vista de uma mulher.

Um último fato sobre a testosterona, talvez o mais surpreendente, ilustra a intrincada dança entre Biologia e comportamento no desenvolvimento dos animais superiores. Pronto? Aí vai...

- A mamãe rata lambe com frequência os genitais de seus filhotes do sexo masculino e isso contribui para que os cérebros deles se tornem completamente masculinos.

E sabe que mais? Ao que parece, é a presença da testosterona na urina dos bebês ratos do sexo masculino que provoca o comportamento. Se os bebês ratos do sexo feminino receberem uma injeção de testosterona, a mãe passa a lamber seus genitais também. E quando os ratinhos do sexo masculino são castrados, a mãe para de lambê-los. Uma tragédia dupla!

Mas espere, ainda tem mais. Os ratos que são lambidos desse modo desenvolvem uma glândula pituitária de funcionamento masculino, independentemente de serem machos ou fêmeas.

As fêmeas que recebem as lambidas agem como machos pelo resto da vida. Quando, em vez das lambidas, um pesquisador esfregou as fêmeas suavemente com um pincel todos os dias, ocorreram as mesmas mudanças físicas no cérebro a longo prazo.

Das centenas de estudos de que tive conhecimento, esse é provavelmente o que mais nos fala da complexidade da interação entre a natureza e a criação para o desenvolvimento das características sexuais.

Influências físicas e sociais atuam o tempo todo em completa interação para produzir machos e fêmeas saudáveis e ativos. A diferença entre os sexos não acontece automaticamente. Sem afeto e estimulação, sabemos que as crianças não se desenvolvem tão bem ou não se tornam tão inteligentes quanto permitiria seu potencial. Temos que lançar mão de cuidados e educação que levem as nossas crianças a se desenvolverem fisicamente e a encontrarem uma identidade sexual confortável.

Capítulo 4

As diferenças entre os cérebros de meninos e meninas

Um milagre do crescimento

O cérebro de um bebê dentro do útero se desenvolve muito rapidamente, passando, num período de dois meses, de um grupo de células para a estrutura mais complexa da natureza. No sexto mês de gestação, o feto já tem capacidades impressionantes, todas controladas pelo cérebro, tais como reconhecer a voz da mãe, responder a movimentos, chegando a dar chutes quando apalpado! Pela ultrassonografia, pode-se vê-lo mexendo a boca como se estivesse cantando no útero.

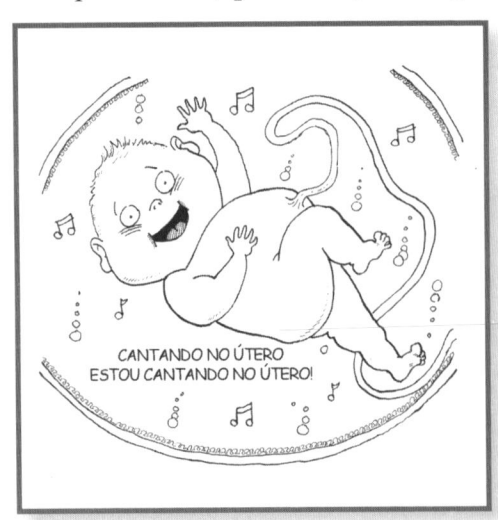

Quando do nascimento, o cérebro ainda não está inteiramente formado e tem apenas um terço do tamanho a que chegará um dia. O cérebro demora bastante para completar seu desenvolvimento. A parte que responde pela linguagem, por exemplo, só vai estar inteiramente formada aos 13 anos de idade. Daí ser tão importante que os meninos tomem intimidade com a leitura nos primeiros anos da escola.

Desde muito cedo as diferenças entre os sexos ficam evidentes no cérebro do bebê que ainda vai nascer. Uma delas é que o cérebro do bebê do sexo masculino se desenvolve mais lentamente que o do bebê do sexo feminino. Outra diferença é que no menino formam-se menos conexões entre os lados esquerdo e direito.

Em todos os animais, o cérebro tem dois hemisférios. Em animais simples como lagartos ou pássaros, isso quer dizer que tudo é duplicado. Se uma pancada na cabeça apagar tudo o que houver em um dos hemisférios, o outro pode assumir todas as funções! Nos seres humanos, porém (nós temos muito mais em que pensar), cada metade tem sua especialização. Uma lida com a linguagem e o raciocínio, a outra, com o movimento, a emoção e o sentido de espaço e posição. As duas metades "conversam" entre si por meio de um grande feixe central de fibras chamado corpo caloso. Nos meninos, o corpo caloso é relativamente menor em tamanho: existem menos conexões ligando um lado ao outro.

Recentes estudos demonstraram que os meninos tendem a resolver certos tipos de problemas, como adivinhações ou trocadilhos, usando apenas um lado do cérebro, enquanto as meninas usam *os dois*. Isso pode ser observado claramente com o uso da tecnologia de mapeamento cerebral por meio da ressonância magnética. No cérebro da menina, "todas as luzes acendem", ao passo que, no do menino, as "luzes acesas" se localizam em determinada parte de um lado apenas, o que causará enormes ramificações, que serão examinadas mais tarde.

Por que a diferença?

Tanto antes como depois do nascimento, o cérebro do bebê cresce como se fosse um broto de alfafa deixado ao sol: as células do cérebro se alongam sem parar e fazem novas conexões. A metade esquerda do córtex de todos os bebês da espécie humana cresce mais lentamente que a direita, mas nos meninos o crescimento é ainda mais lento. A responsável por isso é a testosterona circulando na corrente sanguínea. O estrogênio, hormônio predominante no sangue das meninas, estimula o crescimento rápido das células do cérebro.

Conforme o cérebro vai crescendo, o hemisfério direito procura fazer conexões com o esquerdo. Nos meninos, como o hemisfério esquerdo ainda não está pronto, as células nervosas que se estendem do hemisfério direito não têm onde "se ligar". Então, voltam-se para o lado direito e fazem a conexão lá mesmo. Como resultado, a metade direita do cérebro do menino fica mais rica em conexões internas e mais pobre em conexões com a outra metade. Essa é uma explicação possível para o maior sucesso dos meninos em Matemática, que é principalmente uma atividade "do lado direito do cérebro". Explica também seu maior interesse em desmontar qualquer mecanismo e deixar as peças espalhadas! Mas devemos ter cuidado para não exagerar nas conclusões, já que, às vezes, as expectativas dos pais, a prática e as pressões sociais também influenciam o talento natural e a habilidade. Está claro que a prática realmente contribui para que as conexões se estabeleçam permanentemente, portanto, o estímulo e o ensino afetam a "formatação" e a capacidade do cérebro na vida futura.

Seja a causa hormonal ou ambiental, não há dúvida de que essas diferenças entre cérebros de homens e mulheres existem. Por causa da maior conexão entre os hemisférios, as mulheres que sofrem derrame cerebral em geral se recuperam mais rápida e completamente do que os homens. O cérebro delas consegue ativar novos caminhos entre a metade danificada e a sadia, restabelecendo as funções. Pela mesma razão, as meninas com dificuldade de aprendizagem melhoram depressa quando recebem acompanhamento. Os meninos são mais suscetíveis a problemas resultantes de danos causados ao cérebro durante o nascimento. Essa pode ser a explicação para o grande número de garotos com dificuldade de aprendizagem, autismo e outras disfunções.

Existem diferenças entre os cérebros que ainda não estão bem explicadas. Sete tipos distintos de diferenças foram encontrados por meio de autópsias e de imagens produzidas por computador.

Na prática

Aprendendo a se comunicar

A comunicação é essencial à vida. No entanto, infelizmente, em toda sala de aula podemos encontrar quatro ou cinco crianças que não leem, não escrevem ou não falam bem. E, entre elas, os meninos superam as meninas na proporção de quatro para um! Hoje em dia, pensa-se que isso é devido ao fato de o cérebro dos meninos não estar tão bem organizado para a linguagem.

Não se deve pensar que nada pode ser feito. Se você quiser evitar que a sua criança tenha problemas de linguagem ou de aprendizagem, há muito o que fazer para ajudar. Essa é a opinião da neurocientista Dra. Jenny Harasty e de sua equipe, que fizeram uma pesquisa revolucionária para entender os distúrbios da comunicação.

4. As diferenças entre os cérebros de meninos e meninas

A Dra. Harasty descobriu que, no sexo feminino, as duas regiões onde se processa a linguagem são de 20 a 30% maiores que no sexo masculino. O que não se sabe ainda é se já nascem assim ou se isso acontece porque as meninas usam mais essas regiões. Qualquer que seja a causa, sabe-se que o cérebro é muito sensível a experiências de aprendizagem quando elas acontecem na idade certa. E, para a linguagem, a idade ideal é de zero a oito anos. Na adolescência e na idade adulta, continuamos aprendendo, mas, quanto mais velha é a criança, mais difícil fica mudar as conexões primitivas do cérebro.

Você pode ajudar o seu menino a se comunicar melhor, começando enquanto ele ainda é um bebê. Assim, ele vai ler, escrever e falar melhor quando for para a escola. Veja como.

1. "Puxe pela fala" – um passo de cada vez.

As crianças adquirem a linguagem falada passo a passo. Antes de completar um ano, os bebês começam a balbuciar e gesticular entusiasticamente, sinalizando que estão prontos para aprender a comunicação verbal. É o momento de começar a ensinar algumas palavras.

• Com um bebê que balbucia, repita a palavra que você acha que ele está tentando falar. Se o bebê faz "gugu, dagu" e aponta para seu patinho de borracha, você diz "patinho, o patinho do João!". Ele logo estará dizendo "patinho" também.

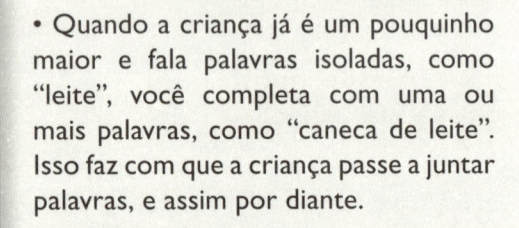

• Quando a criança já é um pouquinho maior e fala palavras isoladas, como "leite", você completa com uma ou mais palavras, como "caneca de leite". Isso faz com que a criança passe a juntar palavras, e assim por diante.

• A criança que já fala grupos de duas ou três palavras pode progredir imitando as frases inteiras que ouve. Se ela diz, por exemplo, "Gavin caminhão", você responde "Gavin quer o caminhão? Aqui está o caminhão do Gavin". E assim por diante.

Em resumo, a criança aprende melhor se você responder a ela *uma etapa à frente* do estágio em que ela está. E ela adora essa brincadeira. Todo ser humano gosta de se comunicar.

2. Sempre que tiver oportunidade, dê explicações à criança.

Essa é uma ideia muito útil para quando você está fazendo coisas rotineiras em companhia da criança – viajando, cuidando da casa, passeando. Converse, explique, responda às perguntas. Surpreendentemente, alguns pais muito amorosos, que cuidam bem de seus filhos, parecem não perceber que o cérebro de suas crianças cresce com a conversação. Não se acanhe, explique, conte casos, converse! Por exemplo: "Está vendo isso aqui? Serve para ligar o limpador. É ele que tira a água da chuva do pára-brisa"; "Este aspirador de pó faz um bocado de vento. Ele suga o ar e manda a poeira para um saco. Quer experimentar?".

Esse tipo de conversa – desde que você não exagere e aborreça a criança – faz mais pelo cérebro do seu filho que qualquer escola cara mais tarde.

3. Desde muito cedo, leia para a sua criança.

Mesmo que a criança tenha apenas um ano de idade, vocês já podem se divertir juntos com os livros, especialmente aqueles que usam rimas e repetições, como "Pirulito que bate, bate" e "Rema, rema remador". Assim, ela aprende a gostar dos livros, das gravuras e do som da sua

4. As diferenças entre os cérebros de meninos e meninas

voz. Você pode até exagerar um pouco, fazendo vozes engraçadas e dramatizando. Faça isso na hora de dormir, colocando a criança no colo ou deitando-se a seu lado na cama.

Depois, quando a criança já tiver suas histórias favoritas, você pode brincar de "adivinhação" – "e aí o gatinho fez...?" – esperando que a criança diga "miau!". Prever o que vai acontecer é uma parte importante da leitura. Os bons leitores antecipam a palavra que vem a seguir.

Lembre-se: sempre que brincar com a criança com jogos de aprendizagem, o truque é divertir, fazê-la "expandir" a mente. Ela vai adorar.

Toda criança se beneficia de jogos de aprendizagem, mas, para os meninos, é uma medida preventiva, porque eles são predispostos a ter uma linguagem mais pobre se não forem estimulados. E, além de tudo, é divertido!

A Dra. Jenny Harasty aconselha: se você se preocupa com o desenvolvimento da fala e da linguagem do seu menino, se acha que ele não está falando tão bem quanto deveria, confie na intuição: converse com um especialista. As sessões de terapia da fala são divertidas e podem fazer uma grande diferença no futuro.

Por que é importante ter informações sobre o cérebro?

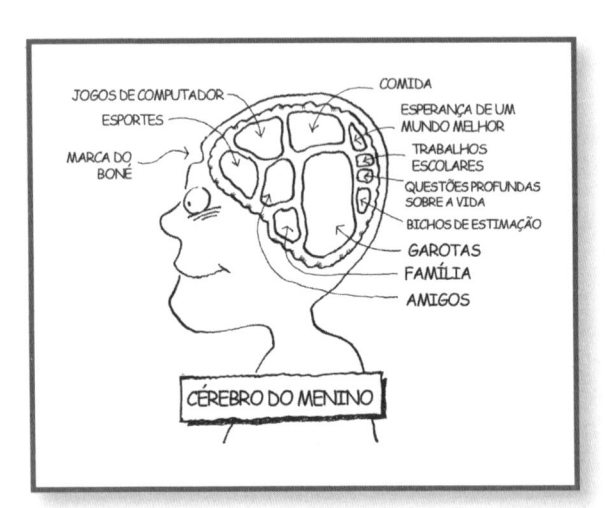

Conhecer as diferenças encontradas no cérebro dos meninos ajuda a explicar algumas dificuldades práticas que eles encontram e a decidir o que fazer em relação a isso.

Se o seu cérebro tiver menos conexões entre os hemisférios esquerdo e direito, você vai ter problemas com as atividades que exigem ambos os lados. Isso envolve habilidades como *ler, falar de sentimentos* e resolver problemas por meio de *introspecção*, em vez de dizer coisas que ninguém entende! São problemas que lhe parecem familiares? Então agora você percebe a importância de tantas pesquisas sobre o cérebro?

Perigo: alerta quanto ao sexismo

Existe um ponto vital a esclarecer aqui. A afirmação de que "os garotos são diferentes" pode ser facilmente usada como desculpa para dizer que eles "têm problemas" ou, pior, que "não há nada a fazer". O mesmo tipo de generalização já foi aplicado às garotas: "Elas nunca vão se dar bem em Ciências ou Engenharia", "São passionais demais para assumir cargos de responsabilidade", e assim por diante. Então, leve seriamente em consideração estes pontos:

- em geral, as diferenças são muito pequenas;
- são apenas tendências;
- não se aplicam a todos os indivíduos;
- o mais importante: não somos obrigados a aceitar essas características como limitações.

Ajudando o cérebro a crescer

Podemos ajudar os meninos a ler melhor, a se expressar melhor, resolver conflitos e a se relacionar melhor, fazendo, assim, com que sejam excelentes seres humanos. Algumas escolas têm programas de acompanhamento para ajudar as meninas em Matemática e Ciências, de modo que elas possam ter acesso a essas carreiras. Começamos agora a ver que podemos ajudar os garotos na área de Línguas, Teatro e outras disciplinas, de modo que fiquem mais bem preparados para viver no mundo moderno. Veja o capítulo "Uma revolução na educação", p. 127.

O nosso cérebro é um mecanismo brilhante e flexível, sempre pronto a aprender. O pai ou mãe podem ensinar o menino a evitar entrar em brigas, buscando meios específicos de jogar ou resolver disputas. É bom ensinar ao menino estas habilidades:

- descobrir os sentimentos dos outros, observando a expressão do rosto;
- fazer amigos e participar de um jogo ou de uma roda de conversa;
- ler os sinais de seu próprio corpo, como perceber quando está ficando zangado a tempo de se afastar da situação.

Ao trabalhar essas habilidades, os pais estão criando conexões entre os dois lados do cérebro de seus filhos.

Na escola, a mesma ajuda é necessária. Conheço um professor de Matemática que raramente dá uma aula sem usar um exemplo prático do que está sendo estudado. Muitas vezes, sai da escola para mostrar a noção concretamente. Ele descobriu que mesmo alunos desmotivados conseguem entender os conceitos quando os veem na prática e quando usam o corpo para apreender uma ideia. Assim, adquirem conceitos do lado direito do cérebro para conectar com o entendimento do lado esquerdo, usando seus pontos fortes para superar os pontos fracos.

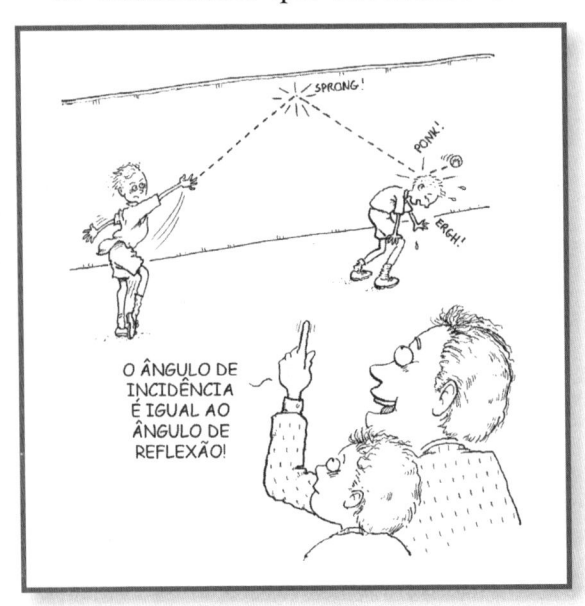

VIDA ESCOLAR: POR QUE OS MENINOS DEVEM COMEÇAR MAIS TARDE?

Aos seis ou sete anos, quando realmente começa a escolaridade, o desenvolvimento mental dos meninos está de seis a 12 meses atrasado em relação ao das meninas. Eles são especialmente pouco desenvolvidos no que chamamos "coordenação motora fina", que é a capacidade de usar os dedos para segurar uma caneta ou tesoura. Como ainda estão no estágio do desenvolvimento dos grandes músculos, ficam loucos para exercitá-los e não são muito bons em ficar sentados quietinhos.

Conversando com coordenadores de educação infantil desde escolas do interior da Austrália a grandes colégios internacionais da Ásia e da Europa, recebi a mesma mensagem: "Os meninos deveriam esperar mais um ano". É claro que todas as crianças devem frequentar o Jardim da Infância a partir de cerca de cinco anos, já que precisam da estimulação social e da amplidão de experiências que a escola dá. E também porque os pais precisam de descanso! Mas os meninos deviam ficar mais tempo no Jardim da Infância – em alguns casos, mais um ano. Para a maioria, isso implicaria chegar ao ensino fundamental *um ano mais velho do que a menina sentada na carteira ao lado*. O que também quer dizer que, intelectualmente falando, ele estaria no nível dela. Vai chegar o momento em que meninos e meninas estarão intelectualmente nivelados, mas, com as escolas funcionando como acontece hoje, o mal já estará feito. Os meninos se convencem de que são verdadeiros fracassos, não conseguem adquirir habilidades importantes simplesmente porque ainda não estão prontos, e se desinteressam pelo estudo.

Nos primeiros anos do ensino fundamental, os meninos cujos nervos do sistema motor ainda estão em desenvolvimento recebem sinais de seu corpo, que diz: "Mexa-se. Use-me". Para uma professora impaciente do primeiro ano, isso parece mau comportamento. O menino vê que seu artesanato, seu desenho e sua escrita não são tão bons quanto os das meninas e pensa: "Isso não é para mim!". Ele conclui que escola é coisa de menina e logo desiste de aprender, principalmente se não tiver um professor do sexo masculino.

Se levarmos em consideração as recentes pesquisas sobre o cérebro, vamos ver que existem outras maneiras de estruturar as escolas para que se tornem lugares melhores para os meninos. O assunto é explorado no capítulo "Uma revolução na educação", p. 127.

Os meninos não são inferiores – apenas são diferentes

Ter o lado direito do cérebro bem desenvolvido, como é a tendência dos meninos, traz muitas vantagens. Além de suas habilidades matemáticas e mecânicas, os homens costumam ser orientados para a ação: quando veem um problema, querem logo resolver. O lado direito do cérebro tanto cuida dos sentimentos quanto das ações, o que torna os homens mais capazes de agir em situações que fariam as mulheres pensarem, pensarem, em total paralisia! Para um homem, é preciso um esforço extra para mudar para o hemisfério esquerdo em busca das palavras que expliquem os sentimentos que ele está registrando no hemisfério direito.

Germaine Greer destacou que os gênios em diversas áreas do conhecimento são homens em sua maioria, embora muitos deles possam ser considerados, no aspecto geral, personalidades desequilibradas, precisando de quem tome conta deles, geralmente uma mulher!

Em uma era antimasculina, é importante lembrar e mostrar aos meninos que foi um homem que inventou o avião e o carro, foram homens que lutaram nas guerras, construíram estradas de ferro e hospitais, descobriram remédios e participaram das grandes navegações que fizeram tudo acontecer. Na África, existe um ditado que diz: "As mulheres tomaram a metade do céu". Mas, é claro, os homens tomaram a outra metade.

Um novo tipo de homem

O mundo não precisa mais de homens que lutem com búfalos. No mundo moderno, em que o trabalho manual ou mecânico é cada vez menos valorizado, precisamos redirecionar a capacidade e a energia masculinas para um tipo diferente de esforço heroico. Isso significa adicionar sentimento e habilidades de linguagem ao raciocínio e à capacidade de agir que os garotos têm – criar uma espécie de "superboy" que seja flexível a ponto de transitar por todas as áreas de habilidade.

Se você prestar atenção, os grandes homens da História – Gandhi, Martin Luther King, Buda, Jesus – eram assim. Tinham coragem e determinação, além de sensibilidade e amor pelo semelhante. É uma mistura imbatível e certamente muito necessária hoje em dia.

Em poucas palavras

As diferenças entre os sexos criadas pelos genes e hormônios masculinos precisam ser administradas de maneira prática. A seguir, um resumo do que você pode fazer para que seu menino se torne "um novo tipo de homem".

Como os meninos geralmente	Nós precisamos
são propensos a sentir ansiedade por causa das separações	demonstrar tanta afeição por eles quanto demonstramos pelas meninas e evitar separações, como deixá-los em creches antes dos três anos.

4. As diferenças entre os cérebros de meninos e meninas

Como os meninos geralmente	Nós precisamos
sofrem ondas de testosterona que, às vezes, os deixam rebeldes e inquietos – especialmente por volta dos 14 anos	orientá-los calmamente em meio aos conflitos, tranquilizando-os por meio de argumentos e não com gritos ou agressividade. Deixar claro que as boas maneiras são sempre necessárias e nunca ameaçar nem usar de violência. Os pais devem servir de modelo e insistir em que as mães sejam respeitadas.
têm estirões de crescimento que os deixam desligados e desorganizados, especialmente aos 13 anos, o que também se aplica às garotas	ajudá-los na organização, ensiná-los a arrumar o quarto, a colaborar nos serviços domésticos, fazer projetos escolares aos poucos, ter uma rotina.
têm explosões de energia física que precisam de expressão	providenciar para que haja bastante espaço e tempo para movimento e exercícios.
têm um desenvolvimento cerebral mais lento, afetando a coordenação motora fina nos primeiros anos do ensino fundamental	retardar o início da primeira série até que eles tenham bastante habilidade com papel e lápis, tesoura etc.
têm menos conexões entre o hemisfério da linguagem e o hemisfério sensorial do cérebro	ler para eles, contar histórias, explicar e conversar muito, especialmente quando eles tiverem entre um e oito anos.

Como os meninos geralmente	Nós precisamos
têm necessidade de regras claramente estabelecidas e de saber quem está no comando	constatar que o ambiente da casa e da escola sejam calmos e ordeiros. Evitar escolas que permitam a intimidação.
têm um corpo mais musculoso	ensiná-los especificamente a não bater ou machucar os outros, a usar palavras para se comunicar.
têm a predisposição de agir sem pensar	conversar muitas vezes com eles de maneira amigável. Falar sobre opções, escolhas, maneiras de resolver problemas e sobre o que podem fazer em várias situações.

Capítulo 5

O que os pais podem fazer

Quando a minha filha nasceu de uma cesariana de emergência, olhei para ela com alegria e medo. Então, peguei-a e não soltei mais. Shaaron e eu tínhamos feito um acordo: ninguém tocaria em nosso bebê!

Nos dias seguintes, enquanto Shaaron se recuperava da cirurgia, dormi em um colchonete no chão do quarto do hospital, o bebê embrulhadinho ao meu lado, muitas vezes assustando as enfermeiras do novo turno que entravam às duas da manhã para ver se estava tudo bem. Elas chegavam a chamar Shaaron de lado discretamente para perguntar se era aquilo mesmo que ela queria. Shaaron apenas sorria e dizia: "É claro que sim!".

Lutando para ser pai

É mais ou menos o que acontece com os pais atualmente. É preciso lutar pelo direito de *ser* pai. Parece que o mundo não quer que você seja pai. As pessoas até acham preferível que você fique até tarde no escritório, enquanto alguém ensina o seu filho a jogar bola, tocar piano e acreditar em si. Você só paga as contas, como um bom homem.

Felizmente, os pais estão abrindo seu caminho de volta à vida familiar e sendo muito bem recebidos. Afinal, exercer o papel de pai não foi uma tradição muito forte no século 20. Na geração anterior à nossa, havia alguns pais excelentes, mas a maioria dos homens naquela época demonstrava seu amor trabalhando e deixava de lado as brincadeiras, os carinhos, as conversas, os ensinamentos, coisas que as crianças adoram. Muitos pais eram violentos, intimidativos ou bebiam demais. Outros ficaram traumatizados pela guerra e não gostavam de aproximação. Alguns simplesmente abandonaram a família e nunca mais voltaram. Então, agir como pai das nossas crianças pode parecer estranho, já que não sabemos bem o que é ser um bom pai. Tudo que temos são fragmentos, como um quebra-cabeças em que faltam muitas peças.

Mas as coisas estão melhorando. Na Inglaterra, por exemplo, os pais aumentaram o tempo que passam com seus filhos em 400% desde os anos 1960. Sempre que você quer, de fato, alguma coisa, consegue. Não se sinta tentado a deixar tudo nas costas da sua parceira. O fato é que os homens acrescentam à criação dos filhos aspectos únicos e insubstituíveis. Quanto mais você age, mais descobre os seus talentos e o seu estilo único. Nada é tão gratificante quanto ver crescer filhos saudáveis.

Revivendo uma arte perdida

Grande parcela da arte de ser pai de um menino é simples. Aqui estão algumas sugestões.

- A maioria dos garotos gosta de atividade física, de se divertir com o papai. Eles gostam de abraçar e brincar de luta. Se os seus filhos não gostarem, é provável que você esteja agindo com brutalidade!

- Os garotos gostam de acompanhar o pai em aventuras e experiências no mundo real, sempre com aquela sensação de segurança, porque o papai parece grande e competente, mesmo que ele não se sinta assim durante boa parte do tempo.

- Garotos gostam de ouvir histórias sobre a vida do pai, de conhecer seus amigos e seu local de trabalho.

- Garotos adoram quando o pai lhes ensina alguma coisa – qualquer coisa. Se você não sabe pescar, fabricar objetos ou consertar carrinhos e computadores, tudo bem. Vocês podem aprender juntos. O importante é tentar.

AS CRIANÇAS APRENDEM AS ATITUDES DO PAI

As crianças não aprendem apenas o que você diz a elas, mas também assumem as suas atitudes (numa escala impressionante).

Tenho um amigo, um veterano da guerra do Vietnã, que ia dirigindo com o filho no carro e parou num sinal de trânsito. Entre os pedestres que atravessavam a rua, havia uma família de asiáticos, e o menino de cinco anos, de repente, fez um comentário racista, que não vou repetir aqui. Mas o meu amigo reconheceu as próprias palavras e ficou chocado ao ouvi-las da boca de uma criança. Aquilo lhe pareceu feio e errado. Então, procurou uma área de estacionamento e parou o carro. Conversou com o filho, dizendo que lamentava ter um dia usado aquelas palavras e que não queria que ele voltasse a falar daquele modo.

É OBSERVANDO COMO VOCÊ AGE QUE AS CRIANÇAS APRENDEM A AMAR

As crianças certamente aprendem sobre o amor prestando atenção em você. Elas gostam de ver o pai tratar a mãe delas com carinho, fazer um elogio, namorar, trocar um abraço ou um beijo. Minha filha sempre quer participar quando vê os pais se abraçando. Ela adora compartilhar dos nossos sentimentos. Mesmo quando você se afasta e fecha a porta do quarto, as crianças aprendem a admirar o mistério do amor.

É importante respeitar a mãe dos seus filhos. Também é importante que você se respeite, que não aceite ofensas ou desrespeito, mas que exponha e defenda seus argumentos. Seu filho precisa ver não apenas que as mulheres não devem ser maltratadas, mas que um homem pode argumentar com calma, sem disputas ou agressões verbais, que ele sabe ouvir, mas também sabe se impor e faz questão de ser ouvido. Os filhos detestam ver seus pais humilhados.

É OBSERVANDO COMO VOCÊ AGE QUE AS CRIANÇAS APRENDEM A SENTIR

Os filhos aprendem sobre sentimentos observando o pai e outros homens. Eles precisam ver você demonstrar todos os quatro sentimentos básicos.

Tristeza	Pela morte de alguém ou por um aborrecimento.
Raiva	Pela injustiça ou por alguma coisa errada.

5. O QUE OS PAIS PODEM FAZER

Alegria	Quando tudo vai bem.
Medo	Quando há perigo à vista.

É preciso haver equilíbrio quando expressamos sentimentos na presença das nossas crianças. Elas precisam ver que nós *temos* sentimentos, mas, como o pai é o máximo, não se sentem seguras ao vê-lo dominado pelas emoções. Use mais palavras do que ações. Devemos *falar* da nossa raiva e não *agir* com raiva. Podemos dividir o medo que sentimos, mas não nos deixarmos apavorar. Podemos demonstrar que estamos tristes e até chorar, mas não entrar em desespero.

O homem, quando tem um sentimento desconfortável, costuma convertê-lo em algo mais confortável. Geralmente, o sentimento mais confortável para o homem é a raiva. Se o garotinho se perdeu no *shopping* ou o adolescente assumiu um risco desnecessário, um pai que diz "eu fiquei assustado" tem muito mais impacto do que outro que sai gritando e batendo portas. Se um homem demonstra raiva quando, na verdade, está triste, assustado, ou mesmo feliz, a criança pode ficar muito confusa.

Os meninos tentam fazer suas sensações internas corresponderem aos comportamentos e precisam que nós mostremos a eles como se faz isso.

HISTÓRIAS DO CORAÇÃO

Demonstrando sentimentos

No início deste ano, um acontecimento me deixou com vontade de chorar, mas fiquei em dúvida se devia ou não, já que meu filho de 12 anos estava por perto. Recebi um telefonema dizendo que um bom amigo meu estava em estado terminal, com câncer. Chocado, desliguei o telefone e

> comecei a lutar contra as lágrimas. Entrei na sala pensando: "Está certo isso? É assim que eu quero que meu filho me veja?". A resposta que veio de dentro de mim foi: "Claro, é bom que ele me veja assim".
>
> Chamei minha esposa e fiquei abraçado a ela, soluçando. Foi quando percebi que o meu filho se aproximava e senti sua mão sobre o meu ombro – ele estava me consolando! Foi maravilhoso ficarmos os três abraçados. Incrível como as coisas mudaram.
>
> Talvez o fato de me ver daquele jeito signifique para ele que, quando precisar, também vai ter acesso ao doce alívio das lágrimas. Não quero que ele fique engasgado, contido, quando sofrer as inevitáveis tristezas da vida. E não acredito que será assim. (Carta de Tony S.)

Não importa o que venha a acontecer com o seu casamento: não se divorcie dos seus filhos

O divórcio é um rude golpe nos sonhos e esperanças que um pai tem a respeito dos filhos. Alguns homens ficam tão arrasados, que simplesmente viram as costas. Outros precisam lutar contra o sistema para estar em contato com as crianças. O que quer que aconteça ao seu casamento, é de importância vital que você continue a participar da vida dos filhos. Cada vez mais se veem pais partilhando a guarda dos filhos em igualdade de condições e até mais que as mães, depois do divórcio. Já conversei com divorciados que decidiram ser mais simples para as crianças não ter mais contato com elas, e, em todos os casos, houve

~ QUEM ERA AQUELE HOMEM MASCARADO?

um profundo arrependimento pela decisão. Por amor aos seus filhos, seja bom e gentil com a sua ex-mulher, ainda que não tenha vontade. Melhor ainda: trabalhe para preservar a parceria entre os dois, dedicando tempo e atenção a ela, antes que seja tarde demais.

Lutas de brincadeira: o que está acontecendo?

No mundo inteiro, existe um comportamento comum a todos os pais. Todos eles, além de irmãos mais velhos, tios e outros, adoram brincar de lutar com garotos pequenos. Não conseguem resistir. O consultor Paul Whyte, de Sydney, aconselha com simplicidade: "Se quer ser amigo de um garoto, aprenda a lutar".

Por muito tempo não se sabia o porquê dessa preferência, especialmente as mães, que tentavam acalmar as brincadeiras, enquanto os pais queriam agitar cada vez mais. Mas o que se descobriu foi que brincar assim é uma lição essencial para os seres humanos do sexo masculino. Eles aprendem como se divertir, fazer barulho e até mesmo se zangar, e, ao mesmo tempo, *a saber quando parar*. Para um homem, que convive com a testosterona, isso é vital. Se você vive em um corpo masculino, tem de aprender a conduzi-lo.

A grande lição do homem: saber quando parar

Se você alguma vez brincou assim com um menino de três ou quatro anos, sabe que tudo começa muito bem, mas, depois de um ou dois minutos, ele perde a paciência, fica zangado de verdade. O queixo se projeta para a frente, as sobrancelhas se juntam e, se você ainda não tiver notado os sinais de alerta, ele começa a bater e chutar. Opa!

É aí que o pai que sabe o que faz interrompe a brincadeira: "Oooooopa! Vamos parar!" e começa uma rápida aula, não com gritos, mas com uma explicação tranquila.

"O seu corpo é precioso (apontando para o menino), e o meu também. Se alguém se machucar, não podemos mais brincar. Então, vamos precisar de algumas regras: *nada de socos, chutes nem cotoveladas!* Está entendendo? Você consegue?" Aqui vai uma "dica": sempre pergunte "você consegue?" e não "você vai obedecer às regras?", que parece meio inseguro. Nenhum menino responderia "não" à pergunta "você consegue?".

Você, então, recomeça. O garotinho está aprendendo a lição mais importante da vida: autocontrole. Que ele pode ser forte e decidido, mas que pode, também, escolher onde e quando parar. Para os homens, isso é muito importante. Na vida adulta, o homem geralmente é mais forte que a mulher. Ele precisa saber se controlar, principalmente quando está zangado, cansado e frustrado.

Para que um casamento sobreviva, às vezes é preciso que os parceiros fiquem cara a cara, gritando a plenos pulmões! É o que se chama "hora da verdade", o momento em que as diferenças acumuladas são expostas e esclarecidas. Uma mulher só pode ter esse tipo de discussão franca e intensa com um homem junto do qual se sinta absolutamente segura. Ambos precisam ter a certeza de que ele não vai bater nela. Com alguns casais, é preciso que se diga, o que acontece é exatamente o contrário!

Essa é a medida do homem "de verdade". O homem de verdade é dono de si e de seu comportamento. Ele começa a aprender isso, pelo menos em parte, brincando de lutar no chão da sala com o papai ou o titio.

Histórias do coração

O que os pais fazem *(por Jack Kammer)*

Isso pode ser perigoso, pensei. Era início de junho de 1992, e eu estava em Los Angeles. Ainda por cima, começava a escurecer.

Sozinho e meio perdido, arrastando uma pesada mala pela Washington Boulevard a leste da Lincoln Avenue, não conseguia encontrar um telefone que funcionasse ou um motorista de táxi interessado em um passageiro. Estava ficando em cima da hora para o meu voo. Decidi que aquele era um risco que eu precisava, ou melhor, que eu *queria* correr. E me aproximei de três jovens hispânicos que conversavam fora do carro no estacionamento de uma lanchonete.

Primeiro, um rápido *flashback*. Eu acabara de passar quatro dias nas montanhas acima de Palm Springs, numa conferência só de homens que queriam dar à nação novas esperanças para antigos problemas que se avolumavam. Éramos como peixes grandes em um laguinho a que alguns tinham chamado de movimento dos homens. Tínhamos chegado à conclusão de que a necessidade mais urgente para a nação naquele momento era uma infusão maciça da nobre, forte, amorosa, estimulante e saudável energia masculina para contrabalançar o mal-estar, a impotência e as patologias sociais que atacavam os Estados Unidos. Falamos muito da importância do pai, tanto como metáfora arquetípica quanto como realidade prática.

Voltando ao estacionamento da lanchonete: eu me aproximei cautelosamente dos três jovens morenos de cabelos escuros.

— Tudo bem? Preciso chegar ao aeroporto e está ficando tarde. Os táxis e os telefones não colaboram. Por quanto vocês me levariam até lá?

Eles se entreolharam. Um deles, de camiseta branca, disse ao que parecia ser o motorista:

— Vai, cara.

O motorista hesitava.

— Faça um preço razoável – eu disse.

Ele me olhou firme e respondeu:

— Dez pratas.

— Dou 20.
— Vamos lá, cara — tornou a dizer o da camiseta branca.
O motorista fez que sim com a cabeça e abriu o porta-malas.
— Quer colocar sua mala aí?
— Não, obrigado — respondi de pronto.
Na imagem que se formou claramente na minha cabeça, eu me vi jogado para fora do carro de mãos vazias.
— É melhor deixar comigo.
— Está frio — falou o de camiseta branca.
E lá estava eu entregando a minha vida ao que esperava fosse a "energia masculina positiva". Pensei que íamos virar na Lincoln Avenue a oeste, mas viramos para leste. E agora?
Mas então viramos para o sul e logo estávamos na autoestrada. Eu sabia que podia estar sendo estúpido, mas peguei a minha carteira, tirei uma nota de 20 dólares e disse ao motorista:
— Toma. Quero pagar agora.
Ele pegou a nota com um simples "obrigado".
— É, aqui estou eu, rapazes. Espero que vocês tomem conta de mim — eu disse.
O de camiseta, sentado comigo no banco de trás, a mala entre nós, sorriu com um ar esperto e respondeu:
— Tudo bem, moço. Nós somos boa gente.
Eu fiz que sim com a cabeça e encolhi os ombros.
— Espero que sejam mesmo, porque senão eu estou enrascado, não é?
Todos eles riram, e o de camiseta perguntou:
— De onde você é?
— De Baltimore — respondi.
— É legal lá no leste. Pelo menos, é o que dizem, com todo aquele verde.
Eu sorri, concordando com a cabeça.
— É. E lá no leste, Los Angeles é a nossa ideia de paraíso.
— Que nada; aqui é duro. É uma barra.
O de camiseta estava assumindo o posto de porta-voz.
Todos os assuntos de que falamos durante a conferência nas montanhas estavam dentro daquele carro. Era hora de fazer uma verificação da realidade.

5. O QUE OS PAIS PODEM FAZER

– Quantos anos vocês têm, rapazes? – perguntei.

Eles tinham 16 e 17. Estudavam e trabalhavam em empregos de meio expediente. O de camiseta e o motorista trabalhavam em um restaurante. O mais quieto continuou calado.

– Falem das gangues. Existem gangues na escola de vocês?

– Tem gangue em qualquer lugar. Em todo lugar. É uma loucura.

– E vocês são de alguma gangue? – eu perguntei.

– De jeito nenhum.

– E por que não? – tornei a perguntar.

– Porque não tem futuro. Você acaba levando uma bala na cabeça.

– Sim, mas que esperança existe para vocês fora das gangues?

– Não sei. Só sei que eu quero um futuro. Fazer alguma coisa.

– Quais são as diferenças entre vocês e o pessoal das gangues?

– Não sei, cara. Só sei que não é o que eu quero.

– Sim, mas por que não? Qual é a diferença? – pressionei mais um pouco.

– Não sei. Não sei. Acho que a gente tem sorte.

Deixei as perguntas assentarem por um momento e continuei.

– E quanto ao pai? Você tem pai em casa? – perguntei ao jovem sentado comigo no banco de trás.

– Tenho.

– E você? – perguntei ao motorista.

– Tenho pai, sim.

– Ele mora com você?

– Mora.

O calado tomou a iniciativa de responder:

– Eu também tenho pai.

– E quanto aos caras das gangues. Será que os pais deles moram com eles?

– De jeito nenhum. Nenhum deles.

– Então, será que os pais é que fazem a diferença? – sugeri.

– Pode crer, homem, pode crer.

– Por que será? – provoquei. – Que diferença faz um pai?

– Ele está sempre atrás de nós, pressionando, botando a gente na linha, dizendo o que é o quê – o motorista e o calado concordaram.

> E eu cheguei são e salvo aonde queria ir. O motorista até perguntou para que terminal eu ia. A tempo. Sem um probleminha sequer.
>
> Eu me encontrei com 18 homens incríveis na conferência nas montanhas. Sou eternamente grato por sua sabedoria e seu desejo de melhorar a nação. Mas os homens mais incríveis que encontrei naquela viagem foram aqueles três jovens – Pablo, Juan e Richard – incríveis porque, apesar de tudo, eles estavam tentando ser bons.
>
> E os homens a quem mais sou grato são homens com quem nunca estive: os pais daqueles rapazes. Foram os pais deles que me levaram ao aeroporto. Foram os pais deles que cuidaram da minha segurança.

ENSINANDO OS MENINOS A RESPEITAR AS MULHERES

E chega o dia, quando o menino tem mais ou menos 14 anos, em que ele faz uma descoberta muito importante. É quando, de repente, descobre que é *maior que sua mãe*! Até o menino mais doce, mais gentil não consegue evitar de pensar: *Ela não pode mais comigo!*.

A ideia leva à ação, e, mais cedo ou mais tarde, o garoto vai tentar tirar vantagem disso, seja blefando ou intimidando, ainda que sutilmente. Esse é o momento de uma lição importante. Não entre em pânico, não precisa se preocupar nem se apavorar.

Imagine a cena: Sam, de 14 anos, está na cozinha. Sua tarefa é cuidar dos pratos: recolher, raspar, arrumar na lavadora e ligar. Nada complicado; ele faz isso desde que tinha nove anos. Mas, na noite anterior, não terminou o trabalho. Então, nesta noite, quando sua mãe vai pegar os pratos dentro da lavadora (para servir a refeição preparada pelo marido!), encontra todos sujos, já com uma película verde se formando sobre eles. A reação natural da mãe é perguntar "O que houve?". Mas Sam já tem 14 anos! Ele levanta os ombros e sai andando. Talvez até responda à mãe com certa falta de respeito, em voz baixa.

Agora, vamos imaginar que essa é uma família de sorte. Primeiro, existe um pai. Segundo, ele está em casa. E terceiro, ele sabe o que tem a fazer. O pai de Sam está na sala dando uma olhada no jornal. Ele percebe o que se passa na cozinha. Essa é a deixa! Algo dentro dele esperava por este momento. Ele dobra o jornal, caminha decidido até a cozinha e se encosta na geladeira. Sam pode *senti-lo* chegar – é uma espécie de momento primitivo, hormonal. Ele percebe a mudança de poder. O pai olha longa e duramente para Sam e diz aquelas palavras consagradas pelo tempo – e que *você* provavelmente ouviu quando tinha 14 anos.

– Não fale com a sua mãe neste tom de voz, ou vai ter que se ver comigo.

Mas a mãe de Sam é uma mulher dos anos 1990, perfeitamente capaz de lidar com ele. A diferença é que não está sozinha. Sam sabe que ali estão dois adultos que se respeitam e se apoiam e o estão educando bem.

O mais importante: a mãe de Sam sabe que não precisa se sentir intimidada dentro de sua própria casa. *Não* é nada físico entre pai e filho; é uma espécie de força moral. Quando o pai é sincero, respeita a companheira e tem credibilidade, tudo sempre funciona, ainda que, às vezes, seja preciso discutir. Não uma discussão sobre pratos, mas sobre conversar com respeito e segurança. Se a mãe estiver criando o filho sozinha, a linha de ação tem que ser um pouco diferente, e vamos ver isso no capítulo "Mães e filhos".

O PAI OBSERVANDO A SITUAÇÃO

Pais imaturos

Talvez você se surpreenda ao saber que muitos homens *não ocupam um lugar adulto na família*. Por mais que trabalhem duro e sejam respeitados no mundo lá fora, quando chegam em casa se tornam uma das crianças. Que peso para suas companheiras!

A imaturidade dos pais fica especialmente evidente quando se trata de disciplinar os filhos. A esposa esforçada está tentando fazer o *júnior* colaborar na arrumação da cozinha, e lá vem o pai: "Por que você está implicando com ele?" ou "Não seja tão severa. Ele se esqueceu!". Esses são erros fatais que um homem pode cometer. Tudo bem que pai e mãe tenham visões diferentes sobre disciplina, mas isso deve ser discutido longe das crianças. Os homens que minam a autoridade de suas parceiras têm uma vida sexual terrível. (Não consigo deixar de estabelecer a ligação!)

É preocupante ver como nós, homens, estamos por baixo – pelo menos alguns de nós. Se você ouvir a conversa numa roda só de mulheres, vai ter uma surpresa. Elas dizem coisas como "Tenho quatro crianças em casa, uma delas é o meu marido!" e, em seguida, dão um sorriso triste. As mulheres não querem uma criança para marido, querem um homem. Não um monumento de força e macheza, mas alguém que esteja ao lado delas e as ajude a fazer as coisas funcionarem. É o que as mulheres esperam de um parceiro, e os homens que conseguem proporcionar isso são muito apreciados.

Eu sou obrigado a ter todas as respostas?

Para mim, foi um tremendo alívio descobrir que, como pai, não precisava saber tudo. À medida que as crianças vão crescendo e nos apresentam novos desafios, é normal não saber o que fazer às vezes: elas podem dormir na casa de um novo colega? Este livro é adequado à idade delas? Qual é o castigo justo para um mau comportamento? Quantas dúvidas!

5. O QUE OS PAIS PODEM FAZER

O que fazer? Se não tiver uma resposta pronta, não há mal algum em adiar. A melhor solução é simplesmente conversar com a sua parceira ou um amigo. Se ambos estiverem em dúvida, fale com outros pais. Meus filhos sabem que, se ficarem me pressionando, é mais provável que eu seja contra o que estão querendo, portanto, eles se tornaram mais cuidadosos! Mas se eu realmente não sei o que dizer ou fazer, reconheço: "Não estou muito contente com a ideia, mas vou pensar e amanhã a gente conversa". Desde que você *sempre* dê seguimento ao assunto, a resposta funciona. A vida em família é um "trabalho em desenvolvimento".

HISTÓRIAS DO CORAÇÃO

Carta de um pai

Caro Steve:

Já tivemos muitas discordâncias com o nosso filho Matt, e ele, conosco. Mas tenho a satisfação de dizer que tudo vai bem agora, e pode ser bom para outros pais compartilharem do que aprendemos.

A maior diferença entre Matt e a irmã Sophie era a impulsividade e a energia explosiva dele. Aos oito anos, ele atravessou a rua na frente de um carro sem ao menos parar para olhar. Felizmente, o motorista já o tinha visto e pisou firme no freio. Foi por pouco! Os meninos nem sempre pensam antes de agir.

Nós nos desentendemos mesmo foi no início da adolescência. Tinha sido tão fácil lidar com Sophie, que pensamos fosse acontecer o mesmo com ele. Mas Matt não queria ajudar nos serviços domésticos, fazer os trabalhos escolares e não cumpria sua palavra quanto ao horário de chegar em casa. Argumentar não adiantava. Até que concluímos que ele estava pedindo por limites definidos e deveria assumir as consequências dos seus atos. É verdade que fazíamos ameaças, mas nunca cumpríamos. Quando finalmente fizemos isso com coerência, às vezes sentindo que estávamos sendo maus, ele melhorou muito, além de ficar mais feliz. Acho que é disso que alguns meninos precisam.

Uma coisa que realmente o ajudou foi assumir responsabilidades. Quando estava no sexto ano, teve de tomar conta de um aluno do Jardim da Infância. Isso lhe dava a sensação de importância. Ele chegava em casa cheio de histórias para contar: como o garotinho aprendeu, o que conseguiu. Por outro lado, no sétimo ano, ele tinha um colega do ensino médio que cuidava dele e o livrava de confusões; assim, se beneficiava em ambas as situações.

Foi quando percebemos que, embora fosse rebelde em casa, os professores o consideravam ótimo na escola. O que ele queria era nos irritar. Muitos pais com quem conversei conhecem bem esse comportamento do tipo "anjo na escola/capetinha em casa".

Por volta dos 14, 15 anos, Matt começou a ter seu próprio mundo. Raramente conversava conosco, só aparecia para comer e não nos informava sobre o que se passava na escola, com seus amigos etc. Nossa única comunicação parecia ser pelas reprimendas. Felizmente mantivemos o hábito de jantar juntos e esses eram os únicos momentos que tínhamos para conversar. Resolvemos passar mais tempo juntos – fins de semana só para pai e filho. Minha mulher decidiu interromper o ciclo negativo e elogiar Matt, em vez de fazer apenas críticas. Ele foi bastante receptivo. Acho que tínhamos caído em um padrão negativo. Garotos querem ser amigos e não querem viver em seu próprio mundo, que é, muitas vezes, bastante solitário.

Outra decisão que nos trouxe muito benefício foi frequentar um curso de treinamento para pais. Uma das melhores lições que aprendemos foi usar mensagens na primeira pessoa: "Fiquei assustado porque você não chegou em casa na hora marcada; Preciso que você mantenha a sua palavra" em vez de "Você é um mentiroso inútil! Chegue cedo em casa, senão vai se ver comigo!". E outra foi saber ouvir o que os jovens têm a dizer, sem sobrecarregá-los com conselhos.

Agora, estamos muito mais felizes, e Matt é um jovem sociável e gentil, sem ataques de mau humor e grosseria. O importante é nunca desistir dos nossos filhos, continuar aprendendo e buscar ajuda nos maus momentos. Podemos sempre melhorar as coisas se, ao menos, tentarmos. Os filhos, verdadeiramente, precisam que nós mantenhamos as condições de nos comunicar com eles.

Geoff H.

Às vezes, as crianças podem não gostar

Não há nada de errado em ser impopular com os seus filhos uma ou duas vezes por dia! Se vocês já passaram muitos bons momentos juntos e têm uma longa história de cuidado e envolvimento, então já têm bastante boa vontade guardada, como se fosse dinheiro no banco. Um amigo que dedica muito tempo aos filhos me contou que, faz pouco tempo, perdeu a paciência com o filho de 12 anos e mandou-o para o quarto aos gritos. O filho mereceu o castigo, mas os gritos foram mais altos do que seria necessário – resultado de um longo e frustrante dia de trabalho. Dez minutos mais tarde, o castigo foi suspenso temporariamente para que o garoto pudesse escovar os dentes e se preparar para dormir. Ao passar pelo pai, o menino resmungou umas poucas palavras que lhe tocaram fundo o coração e ficaram gravadas para sempre: "Por que é tão difícil odiar você?".

O pai é importante

Muita gente pergunta: mas o pai é tão importante assim? A mãe não pode fazer tudo? São muitas as pesquisas que apontam a importância do pai. Os meninos cujos pais estão ausentes são estatisticamente mais propensos à violência, a sofrer acidentes, a se meter em confusões, a ter um fraco desempenho na escola e a integrar gangues de adolescentes.

As filhas que crescem longe do pai têm mais propensão à baixa auto-estima, a ter sexo antes de estarem preparadas, à gravidez precoce, ao estupro e a abandonar os estudos. As famílias onde não existe a presença de um homem são geralmente mais pobres, e é mais provável que as crianças desçam na escala socioeconômica. É suficiente para convencer você?

Exercer seu papel de pai é a melhor coisa que você pode fazer – para sua própria satisfação e alegria e pelo efeito que isso vai ter sobre o futuro de outros seres humanos. Além do mais, é um bocado divertido.

Em poucas palavras

1. Arranje tempo para ser pai. Na sociedade moderna, muitas vezes o homem é apenas uma máquina de trabalhar. Você precisa se esforçar para ser um pai de verdade para os seus filhos.
2. Seja um pai atuante – converse, brinque, invente, viaje junto. Aproveite toda e qualquer oportunidade para interagir.
3. Às vezes, o Distúrbio de Deficiência de Atenção é realmente distúrbio de deficiência de atenção do pai.
4. Divida com a sua parceira a tarefa de disciplinar os filhos. Muitas vezes, o menino vai atender mais a você do que a ela, não por medo, mas pelo respeito que sente e pela vontade de agradar você. Não bata no seu filho nem o assuste. Isso só vai servir para torná-lo agressivo com os outros.
5. O menino copia tudo o que você faz. Ele vai copiar o modo como você trata a mãe dele. Vai adotar as suas atitudes, quer sejam racistas, de eterna vítima, de otimismo, de atenção e justiça, e assim por diante. E ele só vai saber demonstrar as emoções dele se você demonstrar as suas.
6. A maioria dos garotos adora brincar de lutar. Use essas brincadeiras para se divertirem e também para ensinar a ele autocontrole, a saber parar e estabelecer algumas regras para quando o jogo estiver ficando violento demais.
7. Ensine o seu filho a respeitar as mulheres e a se respeitar.

Capítulo 6

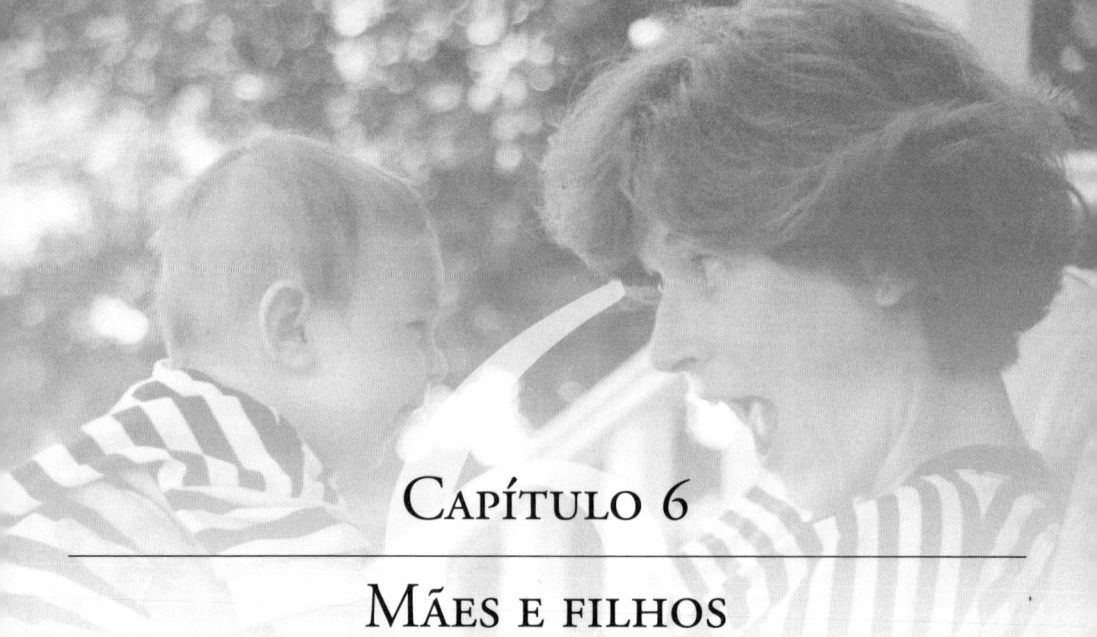

Mães e filhos

(Este capítulo foi escrito em parceria com Shaaron Biddulph.)

Lembra-se daquele momento em que segurou o seu bebê recém-nascido nos braços e pela primeira vez pôde olhar seu rostinho e seu corpo? Para a mãe, às vezes, demora um pouco até conseguir compreender que tem um filho, um menino, um corpo masculino que saiu de seu corpo de mulher. Ela se sente confusa ou mesmo surpresa ao perceber que criou um ser do sexo masculino dentro de si.

A maioria das mulheres diz que se sente mais à vontade com uma filha. Elas percebem que, intuitivamente, vão saber o que fazer com ela. Mas um menino?! Depois do nascimento de um filho, não são poucas as mulheres que exclamam com horror: "Eu não sei o que *fazer* com um menino!". Por mais que a lógica da mulher diga que ela está bem preparada, a resposta emocional é "Meus Deus! Esse é um território desconhecido!".

A bagagem que a mãe traz

Desde o início, a história "masculina" que a mulher traz consigo afeta seu jeito de ser mãe. Talvez desnecessariamente, muita gente dá grande importância ao sexo do bebê. Toda vez que a mãe ouve seu bebê chorar, olha para ele ou troca sua fralda, ela se lembra de que ele é um menino. Então, tudo que para ela significa "ser homem" vem à tona.

A mulher se lembra do pai e de sua relação com ele. Ela tem a experiência de conviver com irmãos, primos e colegas da escola; lembra-se de todos os namorados, professores, patrões, médicos, sacerdotes, colegas de trabalho e amigos. Juntos, eles tecem a "história masculina" dela, que determina sua atitude para com aquele inocente bebezinho!

Suas ideias sobre "como os homens são", "como os homens me trataram" e "em que eu gostaria que os homens fossem diferentes" começam a afetar seu modo de agir em relação ao filho.

E, como se não bastasse, seus sentimentos sobre o pai do bebê também ajudam a complicar a cena. À medida que o bebê cresce, ele se parece com o pai? Isso faz com que ela o ame ainda mais? Se ela não vive com o pai do bebê ou tem problemas com ele, isso também afeta seus sentimentos, que podem ser percebidos ou completamente inconscientes.

Como cuidar do nosso bebê menino

Todas as nossas atitudes e crenças anteriores vão se refletir no cuidado diário dos nossos meninos. Cada vez que corremos para ajudar ou deixamos que se ajeitem sozinhos; cada vez que estimulamos ou desestimulamos; cada vez que damos um abraço carinhoso ou fazemos cara feia e nos afastamos, tudo são respostas a atitudes internas quanto a ter um bebê; um bebê *menino*.

6. Mães e filhos

Histórias do coração

História de uma mãe

Assim que meu filho começou a crescer, fui bastante rigorosa na exigência de que colaborasse de algum modo nas tarefas da casa. Aos seis anos, ele já alimentava o cachorro, fazia a própria cama e enxugava a louça. Aos nove, colocava a roupa na máquina, lavava o banheiro e preparava refeições simples. Eu estava decidida a não produzir um sujeito preguiçoso como meu pai foi. Fui criada em uma família em que todos tinham de servir ao papai, e eu odiava aquela ideia. Meus filhos iam aprender a se arranjar sozinhos!

Minha segunda criança foi uma menina, e, quando ela já estava com seis anos, reparei que não me preocupava tanto em que ela cumprisse tarefas. A ideia era a mesma, mas eu não tinha tanta energia. Ensinei a ela, mas não ficava atrás, insistindo em que fizesse as coisas. E cheguei à conclusão de que, no fundo, eu não gostava de *fazê-la* trabalhar!

Quando éramos crianças, minhas irmãs e eu trabalhávamos duro na mercearia dos nossos pais. Toda noite depois da escola, nos fins de semana e nas férias, trabalhávamos até as pernas doerem, os pés incharem e nos sentirmos mortas de cansaço. E eu sempre me ressenti de ser *obrigada* a trabalhar.

Depois que enxerguei isso, ficou mais fácil adotar uma atitude equilibrada. Agora, minhas duas crianças ajudam em casa, mas têm tempo para descansar e brincar, e estamos todos muito felizes.

Se você adotar uma atitude curiosa, já vai ser meio caminho andado: a atitude de querer conhecer e entender o mundo do menino. Como mulher, você não pode saber o que é estar em um corpo masculino. Se você não teve irmãos, ou um pai atuante, vai precisar de mais informação para descobrir o que é normal nos meninos. É bom poder perguntar ao marido ou aos amigos. Às vezes, é necessário conhecimento prático.

Histórias do coração

Carta de uma mãe

Caro Steve:
Lendo os originais de *Criando meninos*, tive vontade de acrescentar algumas opiniões minhas.

O que tenho a dizer a todas as mães é que os meninos *são* diferentes. Portanto, insista em conhecê-los e entendê-los. Faça o que fizer, não desista. Nem ceda ou se junte ao grupo antimasculino com suas piadas, lamentações e atitudes do tipo "O que posso fazer?". Existe um ponto de encontro entre mães e filhos. Depende de você. Pode não ser uma coisa óbvia, pode levar tempo e precisar de várias tentativas. Dificuldade e esforço não são sinais de fracasso, mas de que está nascendo algo novo. Procure o que há de bom no seu filho. Você *vai* encontrar.

Os meninos têm sentimentos de ternura, e a mãe é parte essencial para fazer dele uma pessoa inteira. Ver como o seu filho pode ser afetuoso faz com que você o ame ainda mais. Dê a ele a chance de brincar com crianças mais novas, de cuidar delas, de tomar conta de um animal. Veja como ele pode ser carinhoso.

Participe das paixões de seu filho. Tom, meu garoto de nove anos, e eu temos um ritual de inverno. Em uma tarde de sábado, vamos assistir ao segundo tempo do jogo local de futebol americano, que é mais ou menos a quantidade de tempo ideal para nós, e entramos de graça. Geralmente, sentamos junto da cerca, próximo à linha de ataque dos Norths, perto o suficiente para sentir o movimento do ar quando eles passam. Tom adora me dizer quem são os jogadores e explicar as regras, e percebo que também me fala de detalhes pelos quais sabe que me interesso – algo sobre a vida deles fora do campo! É um jogo de ação, vigor e determinação. A atmosfera entre os que assistem ao jogo é de companheirismo e animação, um sopro de calor na tarde fria. Tão diferente de ver pela televisão! É uma aventura urbana.

O menino costuma precisar de ajuda para *se conectar*: fazer um trabalho escolar, usar a biblioteca, o computador, consultar jornais e enciclopédias. Ajude-o a organizar os trabalhos da escola, a dividir as tarefas em etapas possíveis, a estabelecer metas realistas e a chegar lá. Torne as tarefas menores, de modo que ele se relacione com elas e não se sinta sobrecarregado ou desista. Ao mesmo tempo, não faça as tarefas por ele, deixe que ele sinta o prazer da própria realização.

Amplie a *consciência* do seu menino. Passeie, converse, observe, colecione. Veja como as árvores mudam conforme a estação do ano, como avança o projeto de uma construção. Mostre a ele como a comida chega à mesa. Faça-o participar do planejamento, da escolha, das compras, da preparação e do prazer de comer. Envolva-o nos planos para as férias e eventos familiares. Mostre a ele como combinar os interesses dele com os dos outros por meio de um plano.

Cuide para que ele durma o suficiente e haja um equilíbrio entre seus compromissos sociais e horas livres. Básico, mas importante. Rituais para a hora de dormir, histórias, carinhos, brincadeiras, o que quer que seja para que ele se sinta seguro, amado e em paz. Compartilhar um repertório de histórias favoritas é um recurso valioso.

Finalmente, um meio de ajudar seu filho é apoiar a relação dele com o pai. Pai geralmente não prevê e planeja como a mãe, o que pode reduzir sua participação ao que está mais perto, mais à mão. Dar alguns "toques" discretos pode ser bom. Ponha homens bons no caminho do seu filho – um maravilhoso professor de Música, um homem habilidoso em tarefas manuais, o irmão de uma amiga. Fale com seu filho sobre homens de valor, sobre suas qualidades e sobre como agem em diferentes situações.

Recorde o passado: conte que bebê lindo ele era, o que sua chegada significou para você, fale da luz e da harmonia que ele trouxe para a sua vida.

Tudo de bom para você.

JT

NA PRÁTICA

O corpo do menininho

Pênis e testículos são um certo mistério para as mães. Aqui estão algumas perguntas que as mães costumam fazer.

P: *Meu filho deve ter dois testículos visíveis?*
R: Na consulta de 6 semanas ao pediatra, ambos os testículos devem estar visíveis.

P: *Há algum problema em tocar o pênis do meu filho na hora do banho?*
R: Claro que não! Você tem de lavar em volta dos testículos e do pênis quando troca a fralda e na hora do banho. Depois que se livrar das fraldas, o próprio menino pode lavar o pênis, desde que sob a sua supervisão.

P: *Devo puxar o prepúcio para trás para manter o pênis realmente limpo?*
R: Não é necessário. Na verdade, não é uma boa ideia. No bebê, o prepúcio fica preso à extremidade do pênis. Os bebês naturalmente vão puxando o prepúcio para trás pouco a pouco, e, por volta dos três ou quatro anos, você vai ver que ele se retrai. Depois que o menino fizer quatro anos, você pode dizer a ele que, de vez em quando, puxe o prepúcio para trás na hora do banho, para poder lavar a extremidade do pênis. Mostre como deixá-lo para trás para poder enxugar e depois do banho ensine também a puxar na hora de urinar, para que a urina não fique retida embaixo do prepúcio.

P: *Meu filho puxa e estica o pênis ou coloca o dedo dentro. Há algum problema nisso?*
R: Basicamente, pode-se dizer que nenhuma criança vai se machucar, porque, quando doer, ela para! O pênis exerce um certo fascínio sobre seu dono, que se sente bem ao segurá-lo, e não há mal algum nisso. Não faça drama.

6. Mães e filhos

P: *Às vezes, meu filho aperta o pênis para impedir a urina de sair. Isso faz mal?*
R: A maioria dos garotos faz isso. As meninas têm músculos pélvicos mais fortes e podem prender a urina sem que ninguém perceba. Os meninos não. Então, se têm vontade de urinar, mas estão envolvidos demais na brincadeira, eles "prendem". Estimule seu filho a fazer uma pausa para ir ao banheiro!

P: *Os meninos, quando mais velhos, às vezes são atingidos nos testículos durante as brincadeiras. Que devo fazer se isso acontecer?*
R: Os testículos são muito sensíveis – é por isso que os homens correm solidários quando um deles é atingido durante um jogo. Mas geralmente não há maiores consequências. Leve seu filho para um lugar reservado e verifique discretamente. Se houver muita dor, inchação, sangramento, machucado ou se a dor persistir por muito tempo ou ele tiver vômitos, procure logo um médico. Senão, deixe simplesmente que ele descanse e se recupere. Se, depois de algumas horas, o local ainda estiver sensível, procure um médico.

Caso ainda tenha ficado alguma dúvida, converse com o seu médico. É sempre melhor prevenir.

Ensine sempre as crianças a terem cuidado com o corpo delas e com o dos outros. Repreenda a sua criança se ela achar que machucar outra criança é engraçado ou não faz mal. Impeça brincadeiras que envolvam agarrar ou bater nos órgãos genitais. Alguns programas de televisão tratam o assunto em tom de piada, o que não é certo. Isso é apenas parte da tendência antimasculina que toma conta da mídia. Ser atingido nos testículos é o mesmo que ser atingida nos seios, só que os testículos são muito mais sensíveis.

HISTÓRIAS DO CORAÇÃO

Às compras

Julie e seu filho Ben, de oito anos, foram fazer algumas compras. Na entrada da loja, sentadas em um banco, viram duas meninas que estudavam na mesma classe de Ben. Ele dirigiu um "oi" todo animado às meninas, mas as duas, em vez de responder, olharam para o chão e começaram a rir!

Julie e Ben acabaram de fazer as compras. Ela achou o filho mais quieto do que o normal e perguntou o que estava havendo.

– Está tudo bem – respondeu Ben.

Afinal, tratava-se de um australiano do sexo masculino, e era isso mesmo que devia dizer!

Julie não desistiu.

– Ficou aborrecido porque as meninas riram e não responderam quando você as cumprimentou?

– Hummm... É – admitiu Ben.

Julie pensou por um momento antes de continuar.

– Olha, não sei se vai ajudar, mas eu me lembro de quando era uma garotinha do terceiro ano. Cada uma de nós tinha seu garoto preferido. Só que era meio embaraçoso. Se ele viesse falar comigo, especialmente se houvesse colegas por perto, eu ficava toda sem graça. Então, começava a rir para disfarçar. Não sei se é o mesmo caso.

Ben respondeu qualquer coisa, mas, de repente, pareceu andar mais decidido.

– Ah, que sorte, esquecemos de comprar o leite!

Antes que Ben tivesse tempo de respirar, fez meia-volta e tomou novamente o caminho do supermercado.

– Você vai ter uma segunda chance! – ela explicou.

As garotas continuavam no mesmo lugar e, desta vez, foram elas que disseram "oi". Ben ficou conversando enquanto a mãe foi buscar o leite – e demorou um bocado para encontrar!

6. Mães e filhos

A mamãe ajuda a aprender sobre o sexo oposto

Como demonstra a história do supermercado, a mãe tem muito a ensinar ao filho sobre a vida e o amor. Sua ajuda é preciosa para que ele adquira autoconfiança com o sexo oposto. Ela é seu "primeiro amor", e precisa ser carinhosa, respeitadora e divertida, sem a pretensão de tomar conta ou dominar o mundo dele. Quando ele chega à idade escolar, é ela quem o encoraja e ajuda a fazer amizades, além das "dicas" para que se dê bem com as meninas.

Temos que admitir que, da década de 1990 para cá, as relações entre os sexos precisam de toda a ajuda que for possível. A mãe pode ajudar o filho a relaxar perto de meninas e mulheres. Ela pode ensinar a ele de que é que elas gostam: de um garoto que saiba conversar, tenha senso de humor, seja atencioso, tenha opiniões e ideias próprias, e assim por diante. Pode mesmo alertá-lo para o fato de que as garotas, às vezes, são impiedosas e impulsivas. Em resumo: não são santinhas.

Em geral, quem tem a chave da autoestima para o menino é a mãe, e quem tem a chave da autoestima para a menina é o pai. As filhas adolescentes precisam fazer de si mesmas a imagem de pessoas tão interessantes e inteligentes quanto as que o pai valoriza. Além disso, o pai pode ensinar a filha a trocar um pneu, navegar na internet ou pescar. O filho que sente que a mãe aprecia a companhia dele aprende que pode ser amigo das garotas e se sentir à vontade com elas entre as idades de cinco e 15 anos, antes que o aspecto romântico ou sexual fique mais importante.

Melhorando a autoimagem

Na época de cursar o ensino médio, muitos garotos se tornam terrivelmente desajeitados. Parece que têm vergonha de serem homens, tão grandes e cheios de hormônios. A mídia frequentemente apresenta homens como estupradores, assassinos ou fazendo papel de trouxas. Então, é muito fácil para o garoto se sentir mal com o fato de ser homem.

As mães podem fazer muito para superar isso, e tenho ouvido belos comentários delas em relação a seus filhos. Aos dez anos ou mais, é bom vestir uma roupa nova e ouvir: "Hum, mas você está um gato!". Ou colaborar na arrumação da casa e escutar: "A garota que casar com você é uma pessoa de sorte". Há muitos outros elogios a fazer, como "É bom conversar com você", "Gosto muito da sua companhia" ou "Você tem um ótimo senso de humor".

O PAPEL DA MÃE VAI SE AJUSTANDO AO CRESCIMENTO DO FILHO

Conforme o menino passa de bebê indefeso a adolescente arrebatado, a atuação da mãe tem que se ajustar. No começo, você é "a chefe", em constante supervisão. Na idade escolar, você ensina, monitora e estabelece limites. Mais tarde, você passa a consultora e amiga, e ele decide o caminho a seguir. Gradualmente, você vai dando liberdade e delegando responsabilidade. Tudo tem seu tempo. Aqui vão algumas indicações.

Os primeiros anos na escola

No início da vida escolar, ajuda e uma suave orientação vão bem. As mães devem estar atentas às atividades de seus filhos para que não corram perigo ou sofram perdas. Estabeleça o número de horas que o menino pode ficar em frente à televisão ou ao computador para que ele tenha tempo de sair e fazer exercícios. Muitas escolas aboliram os jogos de computador durante a hora do recreio porque os garotos não se socializavam ou interagiam – habilidades de que necessitam realmente.

Estimule seu filho a convidar coleguinhas; seja gentil e converse com eles. Procure conhecer suas ideias e pontos de vista acerca da escola e da vida.

Quando o seu filho for à casa de um colega, é importante saber quem vai estar lá. Vai haver um adulto por perto? Nesta idade, os garotos podem fazer bobagem se não houver quem tome conta deles. Até os dez anos, não devem ficar muito tempo sozinhos em casa. Na verdade, isso vai depender muito de onde você mora. Não é bom sair de bicicleta depois de anoitecer. E, antes dos dez anos, os meninos ainda não estão prontos para pedalar no meio do tráfego ou em ruas movimentadas. A visão periférica lateral ainda não está suficientemente desenvolvida para avaliar a velocidade dos veículos.

Avançando no ensino fundamental

Na época dos últimos anos do ensino fundamental, conviver com o garoto é mais uma questão de troca: "Levo você lá se me ajudar aqui"; "Eu cozinho, e você faz a limpeza". As suas atividades podem ser completamente diferentes das do seu filho, mas esteja sempre disposta e disponível para uma boa conversa. Certifique-se de que ainda haja aqueles momentos especiais de intimidade. Durante as compras, faça uma parada para beber alguma coisa ou conversar. Vá ao cinema com ele e depois discutam o filme.

Nesta idade, alguns garotos ainda gostam de demonstrações de carinho, enquanto outros acham uma invasão de privacidade. Encontre um meio de demonstrar afeto sem desrespeitar os limites do seu menino. Sente pertinho no sofá, faça um afago na cabeça na hora de dormir, faça cócegas – descubra um jeito que não o aborreça.

Você deve fazer pé firme caso a escola ou o esporte estejam querendo dominar a vida do seu filho. De vez em quando, deixe que seu filho tenha um "dia de saúde", um dia em que não precise estar doente para faltar à escola, mas possa ficar em paz consigo mesmo.

Chegando ao fim do ensino médio e com a aproximação do vestibular, ajude o seu filho a estudar, mas deixe claro que esse não é o significado da vida e que prazer e espiritualidade também são importantes. Faça com que ele compreenda que seu valor não se mede pelos resultados dos exames.

Em alguns países, desenvolveu-se uma espécie de loucura competitiva em torno dessas provas. Esta fase é vista como "o ano do ou vai ou racha" na vida escolar. É possível encontrar o meio termo, estimulando a garotada a dar o melhor de si durante todo o ensino médio, mas mantendo as devidas proporções com os reais objetivos da adolescência: descobrir a verdadeira vocação sem deixar de lado o desenvolvimento social e criativo.

Eis aqui alguns pontos a considerar.

- Aqueles que conseguem alta contagem de pontos no vestibular nem sempre têm um bom desempenho na universidade, por não estarem motivados por um real interesse pelas matérias.

- Os jovens bem equilibrados são mais felizes, mais saudáveis, companheiros de trabalho mais agradáveis e profissionais mais bem-sucedidos em suas carreiras.

APRENDENDO COM AS CONSEQUÊNCIAS

Esta é a idade em que se constrói a responsabilidade pessoal. Por exemplo: quando o seu filho começar a cursar o ensino médio, ajude-o a se organizar com os livros e a se familiarizar com o horário do ônibus. Mas, depois que ele aprender, a responsabilidade é dele se pegar o livro errado ou perder o ônibus e chegar atrasado à aula. Ele acaba aprendendo!

A disciplina se dá pela cooperação. As suas ferramentas são as consequências naturais e um senso de justiça. Negocie com ele. Não se pode *obrigar* um adolescente a fazer as coisas pela força, mas são tantos os "serviços" que você presta a ele, que o seu poder de barganha é enorme!

Na prática

Garotos na cozinha

É muito fácil despertar na criança um interesse pela cozinha que se estenda pela vida toda porque a natureza está do seu lado. Crianças adoram comer. Gostam dos cheiros, das cores, dos gostos e até da bagunça que fazem para preparar a comida!

Bebês gostam de ficar sentados no chão da cozinha fazendo rolar laranjas ou colocando e tirando grãozinhos de ervilha de uma tigela de plástico. Crianças um pouco maiores já podem ajudar a fabricar massa de modelar (não para comer!) misturando, amassando e acrescentando cores, além das horas que passam brincando com o resultado.

Para crianças de quatro ou cinco anos de idade, o Natal e as festas da família são o melhor motivo para ir para a cozinha, porque depois podem comer! Fazer biscoitos de chocolate e confeitar um bolo são boas atividades para elas. Mas, não se esqueça de que não devem ser deixadas sozinhas perto do fogão ou de comidas quentes.

Em seguida, já são capazes de mexer, despejar, medir ou pesar, debulhar milho, descascar ervilhas e lavar cenouras e batatas em tigelas de plástico. Plantar vegetais é outra grande possibilidade. Rabanetes são os que crescem mais rápido. Ervilhas, tomates-cereja e morangos são bons porque podem ser colhidos todo dia. Os meninos adoram fazer carinhas no pão usando tiras de cenoura e aipo, tomates fatiados e pedaços de queijo. Também gostam de congelar suco, produzindo várias formas. Quando um pouco mais velhos, conseguem usar um descascador com segurança e podem ajudar descascando vegetais para o lanche.

Somente depois dos dez anos devem usar facas afiadas, manusear líquidos quentes e chegar perto do fogão. Ensine como fazer, mas continue por perto e sempre verifique se estão sendo cuidadosos. Todo cuidado é pouco quando crianças e coisas quentes se juntam na cozinha.

Refeições que os garotos gostam de preparar

- Pizzas: compre a massa e deixe que ele prepare toda a variedade de coberturas
- Grelhados: peixe, frango, salsichas
- Panquecas e omeletes
- Saladas
- Hambúrgueres ou sanduíche de bife com salada
- Macarrão com molho pronto
- Vegetais misturados com arroz

Não deixe de demonstrar o quanto se orgulha do trabalho dele e o quanto aprecia sua ajuda na cozinha. Mostre como um bolo ou um saquinho de biscoitos frescos podem ser um bom presente para alguém de quem ele goste.

Não se esqueça de que o menino precisa ver o pai trabalhando na cozinha ou no refeitório da escola.

Outras dicas de segurança

Ensine isto ao seu menino.

- Estar alerta para tudo que esquenta e se mantém quente durante o cozimento. Use uma luva térmica para segurar objetos quentes.

> - Usar facas com muito cuidado.
> - Limpar imediatamente os alimentos derramados. Depois de grudados, fica muito mais difícil!
> - Virar os cabos das panelas para o lado do fogão onde ninguém possa esbarrar ou de onde uma criança pequena não consiga puxar.
> - Enrolar as mangas e usar avental. Ou roupas que não encostem nos pratos quentes nem peguem fogo.
> - Lavar as mãos antes de começar!

CRIANDO OS FILHOS SOZINHA: COMO EVITAR CONFLITOS

Para a mãe que cria o filho sozinha, o início da adolescência é uma época importante para renegociar o que está acontecendo. Os garotos dessa idade querem testar sua força e conquistar independência. Para um casal, é tudo mais fácil, porque o menino pode estar "em guerra" com o pai, mas sabe que tem o amor da mãe e vice-versa. Mas quando a mãe é a única fonte de amor e disciplina, é preciso cuidado. Já ouvi muitas mães contarem: "Tenho que estar sempre alternando da dureza para a brandura, da brandura para a dureza. É muito cansativo". Mas ainda é melhor que ter um parceiro que contradiga tudo que você diz e sabote a disciplina que você tenta impor. O importante é nunca deixar as coisas irem longe demais, chegando ao ponto de gritarias e agressões físicas. Nessa fase, em que está aprendendo a lidar com as energias e sentimentos, o seu filho pode magoar você e se sentir muito mal depois. Se perceber que a discussão está a ponto de se transformar em uma disputa de gritos e agressões, faça isto:

1. Diga a ele que *você* precisa se acalmar. Se ambos conseguirem se sentar, beber qualquer coisa e conversar racionalmente, faça isso.
2. Se estiver zangada ou magoada demais, diga a ele que voltarão ao assunto mais tarde, quando você estiver menos alterada.
3. Sente-se, beba alguma coisa ou vá para outro cômodo da casa.
4. Tente agir antes de estar realmente perturbada. Se esperar para agir quando estiver chorando ou com muita raiva, ele vai se sentir culpado e confuso.
5. Mais tarde, mas ainda no mesmo dia, tenha uma conversa com ele. Por algum tempo, deixe de lado o problema original. Fale sobre como é importante ter uma relação amigável. Pergunte se ele também não deseja isso. Explique que isso, às vezes, envolve fazer concessões, mas que existem algumas coisas de que você não admite abrir mão: segurança, cumprimento da palavra dada e respeito aos direitos dos outros membros da família. Pergunte se, para atender a um pedido seu, ele não quer fazer uma pausa para se acalmar. Então, vocês podem comemorar o acordo ou voltar ao assunto original.

Ao agir assim, você está dizendo que, na relação entre mãe e filho adolescente, é preciso fazer tréguas, porque a situação é delicada.

Se seu filho chegar ao ponto de intimidar ou ameaçar agredir você fisicamente, procure a ajuda de um profissional de aconselhamento ou da polícia. A mãe que vive sozinha é a principal fonte de amor para o filho (ou filha), e, se for agredida ou magoada por ele, ambos vão se sentir muito mal. O que não anula o fato de que, para crescer, é preciso testar os limites com alguém. O ideal é que haja tios ou amigos adultos em quem o garoto confie para aconselhá-lo a tratar a mãe com respeito. Se conseguirem fazer isso sem despertar nele o sentimento de culpa, ótimo. E se ele tiver um bom contato com um tio ou avô, provavelmente já terá desenvolvido essa confiança e respeito.

Na prática

Apresentando um novo parceiro

O divórcio dos pais pode ser uma situação difícil para o menino, e, se a mãe encontrar um novo parceiro, talvez seja preciso uma boa adaptação. Deve-se tomar todo o cuidado para diminuir o sofrimento e aumentar as chances de que a nova situação dê certo. Em seu livro *The wonder of boys*, Michael Gurian oferece algumas orientações para as mães que estão partindo para um segundo casamento. Pode ser até que você não concorde, mas acredito que esses sejam bons pontos de partida para uma consideração.

1. **Cuidado com as suas atitudes durante o namoro.** A mãe não deve expor o filho a várias influências masculinas. Se tiver um namorado, deve se encontrar com ele principalmente quando o filho estiver ausente – quando ele estiver na casa do pai, por exemplo. Ela só deve introduzir um novo homem na vida do filho se estiver realmente decidida a investir em uma relação a longo prazo.

2. **O lugar do papai está garantido.** O recém-chegado não deve ser visto como um substituto do pai. Seu papel é diferente. Se o padrasto impuser rotinas domésticas e estruturas disciplinares, elas devem ser explicadas claramente ao menino e consideradas acréscimos – e não substituições – às regras e rotinas determinadas pelo pai e pela mãe.

3. **Fazer uma aliança com o pai.** Fortalecida pelo novo relacionamento, a mãe deve encarar sua parte na dissolução do casamento, se entender com o ex-companheiro e incluí-lo em seus planos e projetos. Pelo bem do filho, devem passar por cima de situações difíceis entre eles. Exceto, é claro, nos casos em que a presença do pai representa perigo ou ele não quer ter contato com o filho.

4. **Aceitar que o filho viva com o pai.** Se o filho pedir, a mãe pode deixar que ele vá morar com o pai. Ela pode sugerir isso, quando o

menino entrar na adolescência, se perceber que ele quer, mas não tem coragem de ir ou pedir.

5 O recém-chegado não é um rival. A mãe precisa convencer o filho de que ele é insubstituível na vida dela. Ela conseguirá isso com tempo, palavras e ações, e não comprando sua aprovação com presentes ou ameaças.

As regras de ouro são: comunique-se, mantenha a rotina da família, passe tempo junto com seu filho. O maior presente que os pais podem dar aos filhos nessa situação é a sua própria estabilidade.

DIVIDINDO O MENINO COM O PAI

Muitas mães me contam que descobriram que podem ajudar ou atrapalhar o relacionamento do filho com o pai. A seguir, uma carta maravilhosa descreve como uma mãe percebeu que estava atrapalhando o relacionamento entre seu filho e o pai dele, e como a vida ficou mais fácil depois que ela deixou que o marido participasse da responsabilidade – e das recompensas – de criar um filho.

HISTÓRIAS DO CORAÇÃO

Caro Steve:
Estou escrevendo porque achei que você gostaria de saber do impacto que seu livro teve sobre a nossa família. Tudo pode ser resumido em uma única cena, que ainda vejo claramente na memória.

6. Mães e filhos

Meu marido Joe e eu estávamos sentados em uma mesa na calçada de um restaurante de South Coast, onde costumamos passar as férias. Como a boa gente do interior, adoramos passar duas semanas na praia com os nossos quatro meninos cujas idades variam entre nove e 18 anos.

Estávamos muito bem saboreando um café, quando, olhando casualmente para a rua, vi de repente os nossos dois meninos mais velhos entrando disfarçadamente no bar que havia adiante! Quando pulei da cadeira para cuidar do assunto, meu marido também se levantou e, com uma firmeza que não costumava ter, disse que deixasse o assunto com ele. Fiquei tão atônita, que o máximo que consegui foi esboçar um débil protesto. Voltei a me sentar e fiquei olhando!

Devo explicar aqui que, durante anos, Joe foi o "provedor silencioso" que sustentava a família. Mas, no departamento pessoal – relacionamento com os meninos – eu sempre assumi. Às vezes, tudo era fácil, mas houve situações bem difíceis.

Eu levei o livro para ler durante as férias e sabia que Joe também tinha acabado de ler. Fiquei pensando se a leitura teria alguma coisa a ver com a mudança de comportamento. Quando ele voltou da conversa que teve com os garotos, perguntei o que achou do livro. Esperando, é claro, que tivesse aprendido as lições que eu julgava adequadas! Suas palavras ainda ecoam nos meus ouvidos: **"Bem, serviu principalmente para eu enxergar que tenho deixado que você fique demais entre mim e os garotos, e não pretendo permitir que isso continue acontecendo!".**

Minha segunda reação (a primeira foi "Que droga, não era isso que eu queria que você aprendesse!") foi defender as minhas atitudes. Mas assim que comecei a falar, percebi que ele estava certo. Em meus esforços para fazer dos meus filhos o tipo de homens que eu achava que deviam ser, procurei protegê-los do que achei que pudesse lhes fazer mal. Infelizmente, acredito que 18 anos atrás eu estivesse certa, mas me faltou reconhecer que **o pai deles tinha crescido e se tornado o tipo de homem que eu queria que eles fossem, e que eu não tinha reparado** e confiado nisso. Que sábia conclusão!

Agora que aprendi isso, quero repartir com outras mulheres. Hoje acredito que muitas caiam na mesma armadilha. **Nós nos convencemos de que somos uma ponte vital entre o marido e os filhos, quando, na verdade, nos transformamos numa barreira.**

Foi o que me deu a confiança para recuar e deixar que o relacionamento deles evoluísse, e assim aconteceu. Os dois mais novos foram especialmente beneficiados. Agora, quando chegamos a um impasse do tipo "você não pode me obrigar a fazer isso", deixo que Joe intervenha, e estou cada vez mais surpresa de ver como sua intervenção surte efeito. Desse modo, não apenas o relacionamento entre Joe e os nossos filhos se intensificou, como aumentou o respeito entre nós.

Para mim, não foi fácil ceder espaço, e, quando sob pressão, às vezes, volto ao antigo comportamento. A diferença é que a segurança de Joe aumentou com a prática, e ele faz valer suas opiniões!

NA PRÁTICA

Os garotos participam do serviço doméstico!

Existem várias razões pelas quais o serviço doméstico é bom para os garotos.

Preparação para a vida independente

Não é saudável para um rapaz passar diretamente da companhia da mãe para a de uma esposa. Um intervalo de vida independente é muito

6. Mães e filhos

bem-vindo. Durante esse período, ele vai precisar passar a roupa que quer vestir, aspirar a poeira da casa ou preparar alguma coisa para comer. São habilidades que devem ser adquiridas durante os primeiros anos de formação para que o rapaz não venha a sofrer de deficiências do tipo "cegueira culinária" ou "deslavanderia".

No final da adolescência, tais habilidades têm um papel importantíssimo sob um outro aspecto. Habilidades domésticas exercem sobre as mulheres a mesma atração de um carro esporte. Como regra geral, só cozinhe, lave e arrume para o seu filho se quiser que ele *fique em sua casa para o resto da vida!*

Não existe a menor garantia de que o casamento resolva os problemas domésticos do seu filho. A mulher (ou homem) a quem ele se ligar neste mundo pós-moderno pode não estar disposta(o) a servir de criada(o) para ele. Há uma clara e assustadora possibilidade de que ele tenha de fazer a parte dele pela vida toda!

Autoestima

Por muito tempo, a autoestima foi mal compreendida. Originariamente, pensou-se que ter autoestima fosse aparecer em um programa de televisão com um ótimo aspecto e vestindo roupas de marca. O termo era confundido com a ideia de "promover-se" e implicava uma conotação de não confiável. A *verdadeira* autoestima, porém, é uma coisa muito boa.

Com base em várias pesquisas, descobriu-se que algumas famílias ensinam suas crianças a dizer frases do tipo "Estou farto disso", "De que adianta?" e "Nada comigo dá certo!". Em outras famílias, a mensagem é "Você pode", "Tem que ter um jeito de conseguir" e "Acredito nesta oportunidade".

A melhor fonte de autoestima é fazer coisas úteis. Ser capaz de preparar uma refeição, passar uma camisa, cuidar de um animalzinho, cortar grama até conseguir dinheiro para comprar um computador e arranjar um emprego de meio expediente são fontes de indescritível orgulho. Devemos dar às nossas crianças muitas chances de experimentar suas aptidões.

Nossa sugestão é que você ensine o seu filho a preparar uma refeição completa uma vez por semana assim que ele fizer dez anos. Uma boa ideia é começar com uma massa e molho pronto, mais uma sobremesa simples. Não deixe que meninos mexam com água quente antes dos nove anos, porque não seria seguro; a coordenação deles ainda é deficiente. Até os nove, é melhor que ajudem descascando, lavando, limpando. Garotinhos a partir dos cinco anos podem arrumar a mesa para as refeições e separar e dobrar suas roupas entre as que foram lavadas. Aos sete anos, são capazes de tirar a mesa, e assim por diante.

Uma oportunidade de se aproximar

Existe uma outra razão para ensinar seus meninos a fazer regularmente serviços domésticos: conversa.

Os meninos não costumam começar uma discussão franca e honesta sobre seu progresso na escola, seus problemas com amigos ou sua vida amorosa assim que passam pela porta de entrada da casa. Essa é uma antiga fonte de frustração para mães e pais ávidos por estar a par da vida do filho. A razão é que os representantes do sexo masculino gostam de conversar "de lado" e não frente a frente. Gostam de conversar enquanto fazem alguma outra atividade útil, que tome sua atenção. Assim, têm tempo de procurar as palavras certas, sem aquela história de "olho no olho" que tanto agrada às mulheres.

Se você quer se aproximar do seu filho e ajudá-lo a desabafar seus

> aborrecimentos ou partilhar suas alegrias, precisa *fazer coisas junto com ele*. Na vida moderna, isso geralmente significa serviço doméstico. Quer você esteja ajudando o seu filho a bater os ingredientes para um delicioso suflê para o jantar ou ensinando a deixar o box brilhando, essas são oportunidades que ele vai aproveitar para falar de suas dificuldades em Matemática ou da garota que está "a fim" dele. Conhecemos uma família que se recusa a comprar uma máquina de lavar louça só para garantir a conversa junto da pia. Pode ser loucura, mas é uma ideia admirável!
>
> Falando seriamente: trabalhar junto ao seu filho, ensinando a ele truques que dão certo, a ser rápido, eficiente e feliz por deixar a vida mais limpa e mais arrumada, é uma maneira de se aproximar dele, de ter longas conversas que passam todo tipo de saber. Se você fizer todo o serviço doméstico pelo seu filho, ambos vão sair perdendo.

IGUALDADE ENTRE OS SEXOS

A intenção da maioria das mães é criar filhos e filhas igualmente. As mulheres de hoje são de uma geração que despertou para o chauvinismo machista e a igualdade de direitos; chegam a se arrepiar ao ver um filho fazendo grosseria com uma garota e ficam francamente irritadas com a arrogância e a crueldade masculinas. Mas também têm consciência do outro lado da moeda: sentem uma pontada de dor se o filho é ignorado nas brincadeiras na escola ou se chega em casa triste por ter sido humilhado pelas garotas da turma, ou alguns anos adiante, pela mulher da vida dele.

Então, caminham sobre uma corda bamba: fazer o filho se afirmar como pessoa, mas não deixar que fique excessivamente cheio de si.

Em poucas palavras

1. Ter um filho homem traz à tona os seus sentimentos sobre os homens em geral. Tome cuidado para não descarregar os seus preconceitos sobre um ser tão inocente.
2. Se você não tem experiência na educação masculina, não tendo ajudado a criar os irmãos, por exemplo, peça a alguém que você conheça para lhe falar sobre o que é ser homem. E não tenha medo do corpinho do menino!
3. O menino aprende a amar com a mãe. Seja gentil, afetuosa e aproveite a companhia do seu filho.
4. Ensine ao seu menino sobre as garotas e como se dar bem com elas.
5. Elogie a aparência e a conversa do seu filho para que ele se sinta bem consigo mesmo.
6. Vá mudando o modo de agir conforme o filho for crescendo. Preste muita atenção à segurança e providencie para que a vida dele seja saudavelmente equilibrada, recuando um pouco quando ele entrar na adolescência, mas sem perder o contato com seu mundo, suas preocupações e suas possibilidades.
7. Na adolescência, deixe que aprenda com as consequências de suas atitudes (ou sua falta de atitude), como se distrair e chegar à escola atrasado, por exemplo. Esta é a época de aprender o que é responsabilidade.
8. Estimule, desde cedo, o prazer de preparar uma refeição e depois aprecie os resultados.
9. Cuidado para não entrar em grandes conflitos com o adolescente, especialmente se você cria o seu filho sozinha. Acalme-se e depois volte ao assunto com lógica.
10. Se você é daquele tipo de mãe forte e capaz, cuidado para não afastar o seu marido dos filhos nem impedir que ele faça sua parte na criação deles. Você e as crianças precisam de que ele se envolva. Estimule pai e filhos a se aproximarem mais.

Capítulo 7

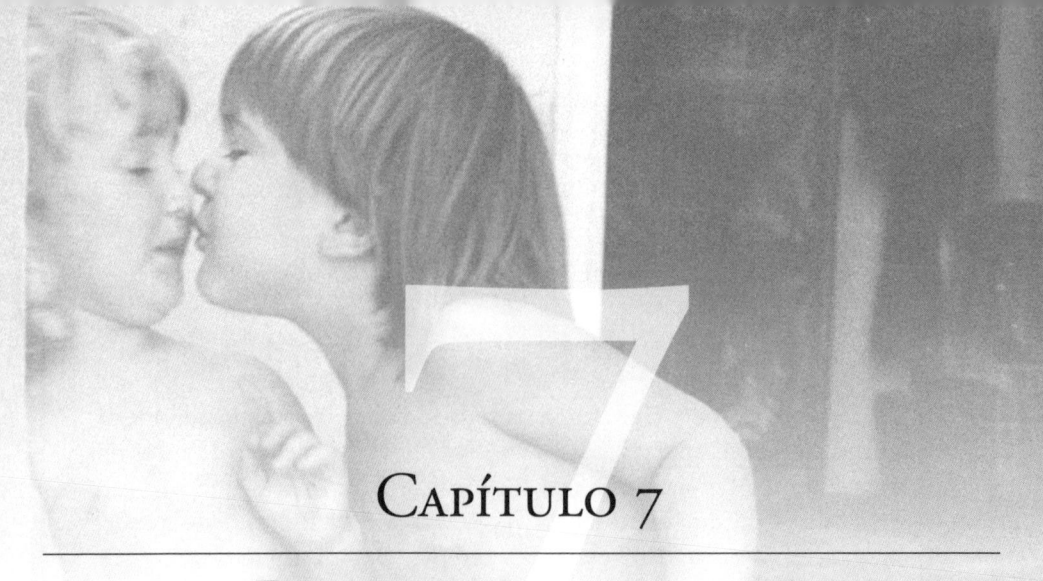

Desenvolvendo uma sexualidade saudável

Todos desejamos que os nossos meninos se sintam bem em relação a sua sexualidade e sejam capazes de exercê-la de um modo intenso, cuidadoso e exuberante. Mas também queremos que sejam plenamente conscientes acerca do sexo. Além dos eternos riscos de uma gravidez indesejada e das doenças sexualmente transmissíveis, existe a nova e mortal questão da AIDS e do vírus HIV. Essas são boas razões para sustentar a nossa insistência em que os nossos filhos não percam a cabeça quando tirarem as roupas!

O amor é maravilhoso, mas, muitas vezes, confunde. A noção mais simples e útil para os nossos jovens é que existem três tipos de atração.

Amizade	É uma relação da mente – interesses comuns, estimulação.
Amor	É uma relação do coração – afetuosa, intensa, enternecedora, gentil.
Desejo	É uma fome, uma vibração picante, quente – você sabe o que eu quero dizer!

O amor juvenil depende muito de separar as coisas. Os enganos são inevitáveis; o segredo é reconhecê-los depressa.

Os adolescentes e aqueles que custam a aprender se apaixonam com facilidade. Na adolescência, ficamos tão ansiosos pelo amor que pintamos qualquer um que pareça um candidato provável com as cores brilhantes da imaginação. Estamos "apaixonados pelo amor" tanto quanto pela pessoa objeto dele. Com o tempo, a pessoa amada se revela, e a fantasia se desfaz. O que pode ser bom, já que as pessoas reais são muito mais interessantes, ou pode ser mau, mas pelo menos você ficou sabendo!

Existe uma máxima que resume tudo sobre sexo: nunca maltrate ou machuque intencionalmente alguém. Os jovens precisam de muito afeto, apoio positivo, informação prática e da oportunidade de crescer, antes de se tornarem sexualmente ativos.

7. Desenvolvendo uma sexualidade saudável

Na prática

Rito de passagem

Uma cerimônia para brindar o começo da adolescência e iniciar a sexualidade de uma maneira positiva

Os autores Don e Jeanne Elium descrevem um ritual que achamos uma grande ideia e adaptamos à nossa família. Os Elium não estavam satisfeitos com o fato de os meninos geralmente receberem as primeiras informações sobre sexo durante as conversas no pátio da escola, sendo que essas mensagens contribuíam em grande parte para formar sua futura atitude diante do sexo. Eles sabiam que precisavam fazer alguma coisa.

O que o casal Elium sugere é escolher um dia para celebrar a entrada na adolescência – por volta dos dez anos de idade é uma boa época. Pode parecer um pouco cedo, mas, na nossa sociedade, é quando começam as pressões adolescentes. É quando acontecem as conversas sexualmente explícitas entre as crianças na escola e se formam atitudes geralmente mal informadas. Conte ao seu filho com antecedência que está planejando uma noite de comemoração. A atração principal vai ser uma refeição especial em um restaurante escolhido por ele – um restaurante de gente grande, não uma lanchonete.

Quando chegar o grande dia, reserve algum tempo para uma conversa entre pai, mãe e filho. Se você for um pai ou mãe criando sozinho o seu filho, o arranjo também dá certo, na verdade, pode ser ainda mais fácil. É bom que o casal converse antes para planejar e esclarecer o que dizer. Lembre-se de que não é uma boa ocasião para discutir. Quando estiverem reunidos, converse com o seu filho sobre sexo e sobre o que significa para você.

Não aquela história de passarinhos e abelhas que ele já deve estar farto de conhecer, mas a experiência em si – da sua própria vida. Seja o mais pessoal que puder. Nós, na verdade, vimos na situação um desafio. Nosso filho estava meio sem graça e louco para a conversa acabar, mas isso acontece em toda experiência de iniciação, e não quer dizer que a ideia não seja boa.

Tanto o pai quanto a mãe podem falar sobre como se sentem em relação ao sexo. Podem passar a mensagem de que sexo é ótimo e que ele irá gostar – da masturbação no início até, mais tarde (*muito* mais tarde, como as mães gostam de enfatizar), o relacionamento com uma parceira. Vale a pena mencionar aqui que, por enquanto, você ainda não sabe se o seu filho vai ser heterossexual, portanto, uma discreta menção a isso pode ser bom para cobrir todas as possibilidades.

Durante a reunião, champanhe para brindar a entrada na adolescência. Apenas os pais e o filho (nenhuma outra criança) devem estar presentes. Talvez ele queira convidar alguns adultos que tenham importância especial em sua vida – amigos ou parentes. Na segunda metade da refeição, diga como é bom ver que ele está crescendo (sem ênfase no sexo) e lembre de quando ele era menorzinho, principalmente os momentos divertidos. Fotos podem ser mostradas, mas o principal é que a noite seja divertida. Seu filho vai ter a sensação de ser especial e de assumir novas responsabilidades, além da importância de não ser mais criança. Em certas culturas, isso é feito quando a menina tem a primeira menstruação. Conversamos com algumas meninas, e elas disseram que, apesar de se sentirem embaraçadas, também acharam a come-moração muito especial.

7. Desenvolvendo uma sexualidade saudável

Histórias do coração

Quando o sexo vai mal: o fator insensibilidade

Em um escritório num bairro afastado, três homens de meia-idade entram juntos na sala apertada e fecham a porta. A recepcionista de 17 anos observa nervosamente, porque não é a primeira vez que acontece. Ela é cercada pelos homens, que começam a fazer comentários sobre sua roupa e perguntam, em linguagem grosseira, quanto a sua vida sexual. Quando eles finalmente se vão, ela se desmancha em lágrimas.

Um jovem estudante universitário põe na internet uma história em que descreve sua fantasia de agarrar, atacar sexualmente e, por fim, matar uma jovem. A jovem é uma pessoa verdadeira, uma colega de turma, que ele identifica na história. A polícia é avisada e interroga o jovem, mas não sabe que atitude tomar.

Um grupo de estudantes de Medicina divide um alojamento. Na porta da cozinha, eles pregam uma lista com os nomes das enfermeiras de uma casa de saúde próxima, e vão fazendo uma marcação ao lado do nome das que vão para a cama com algum deles.

Todos esses homens estão agindo como insensíveis. "Insensibilidade" é agir sexualmente sem consideração pelos sentimentos dos outros. Usar e jogar fora. Você pode pensar que isso é raro, mas é um tipo de atitude que vem se espalhando entre os adolescentes, pelo menos a julgar pelo que dizem. Em um vestiário, sem mulher alguma por perto, a maneira aberta e torpe como os meninos falam das meninas é absolutamente perturbadora. E, quanto maior o grupo, mais acontece tal tipo de conversa. O mais estranho é que a maioria desses garotos é atenciosa e respeitadora em relação às mulheres que conhecem. A conversa é apenas uma pose de macho. Mas alguns podem não estar brincando; suas atitudes expressam o que sentem realmente. O grande problema é que, como é essa a cultura em que são moldadas as atitudes do menino, os mais jovens do grupo podem pensar que é assim que devem falar, sentir e agir com as mulheres.

O VALOR ESSENCIAL DO SEXO

Queremos que os nossos meninos se sintam bem sendo homens e tendo uma vida sexual, mas são muitas as mensagens negativas que vêm da mídia, especialmente dos noticiários. Abrimos o jornal e lemos sobre crimes sexuais horríveis. Para os pré-adolescentes, os sentimentos devem ser os mais perturbadores. Aos 13 ou 14 anos, a maioria dos garotos têm fortes sentimentos sexuais e verdadeira fascinação pelas mulheres que os rodeiam. A testosterona que invade o corpo deles faz a área pélvica latejar e se excitar. Nessa idade, os garotos se masturbam pelo menos uma vez por dia. Sua energia sexual é intensa. E, no entanto, nada se faz para dignificar essa nova parte da vida – muitas vezes, nem se toca no assunto. Como resultado, eles ficam cheios de dúvidas. Ficam pensando se uma garota, algum dia, vai se interessar por eles, se as intenções deles são dignas ou se eles são apenas estupradores à espera de uma ocasião para se revelarem!

A aprendizagem sexual inclui duas partes: os detalhes físicos do ato do amor e as questões muito maiores acerca de atitudes e valores. Os aspectos práticos do sexo devem ser abordados em conversas e explicações a partir dos primeiros anos de vida da criança. Mas a informação realmente poderosa sobre sexo é a *atitude*. A atitude tem de vir dos pais e da comunidade adulta. Se você não falar sobre sexo e sobre certo e errado, os jovens vão copiar os valores dos colegas e os que são mostrados na televisão. Diga claramente ao seu filho o que é sexo bom – com respeito e cuidados para evitar gravidez e AIDS/vírus HIV – e sexo mau – usar egoisticamente o parceiro.

7. Desenvolvendo uma sexualidade saudável

Na prática

Meninos que querem ser meninas

Uma pergunta que os pais fazem frequentemente é a respeito dos filhos que querem vestir roupas femininas ou chegam a dizer que queriam ser meninas. Alison Soutter, psicóloga do NSW Department of School Education, acompanhou durante 15 anos três meninos com "problemas de identidade sexual" – e as notícias são boas.

Alison acredita que o desejo de ser menina (se vestir de mulher e fazer o que é normalmente visto como atividade feminina) é muito comum entre garotos. Ela vê a situação como um atraso no desenvolvimento, não um problema permanente, que é mais bem enfrentado com ajuda e tolerância dos pais, sem recriminações. Nada tem a ver com homossexualidade, e os meninos estudados, ao chegar ao fim da adolescência, tinham se livrado do "problema".

O fato de um menino querer ser menina vai contra toda a pressão dos colegas e, portanto, deve ser um impulso muito forte. Abafar esse desejo é uma crueldade que causa muita tensão à criança. Quando Alison Soutter foi a uma rádio britânica falar de seu estudo, recebeu vários telefonemas de travestis (homens que se vestem de mulher) dizendo que, quando jovens, foram impedidos de usar roupas femininas, o que serviu apenas para deixá-los ainda mais determinados. É provável que a oposição tenha sido responsável por sua fixação quando adultos pelas roupas do sexo oposto.

Como a crítica é uma experiência dolorosa que pode levar a muitos outros problemas, os meninos com esse tipo de problema precisam de ajuda e proteção. Na hora de escolher a escola, por exemplo, é melhor optar por uma mais "alternativa", que aceite e tolere as diferenças, do que por uma tradicional, onde haja muita pressão. Também é importante ensinar ao menino estratégias de autoproteção.

Alison Soutter não tem certeza das causas, mas os pais dos três garotos que estudou tinham doenças ou deficiências que os faziam exercer um papel passivo na família. Talvez o bom e afetuoso envolvimento do pai na vida familiar atue preventivamente, assegurando que os meninos considerem o papel masculino mais interessante.

Como as pessoas se machucam quando o sexo não é respeitado

Quando eu cursava o ensino médio, na minha turma – como em todas as turmas desde o início dos tempos – havia uma garota cujos seios se desenvolveram antes das outras e cresceram bastante. Dois alunos um pouco mais velhos do que o restante da classe sentavam-se no fundo da sala e assobiavam maldosamente toda vez que Jeannie entrava. Era uma verdadeira obsessão, e acredito que todos os outros alunos preferiam que os dois parassem com aquilo. Jeannie era bem extrovertida, mas deu para perceber que sua confiança foi se esvaindo – eles fizeram da vida dela um inferno. Gostaria de ter tido coragem de fazê-los parar, de ter enfrentado aquela estupidez.

Em outra situação, eu tinha um colega de escola, Joseph, que era maltês. Não sei se porque era um tanto baixinho ou por ser imigrante, alguns alunos começaram a chamá-lo de "bicha" e a fazer uma brincadeira no recreio em que fugiam dele protegendo o traseiro. Joseph foi ficando cada vez mais isolado e acabou saindo da escola.

Quando penso nessa época, sinto remorso e vergonha por não ter protestado. Hoje, não deixo nem ofensas verbais sem resposta. Se algum dos jovens que vêm à nossa casa usa uma palavra como "bicha" ou "crioulo", ouve uma "lição de moral" para não fazê-lo outra vez.

Boa parte do comportamento "insensível" que os garotos adotam é pura estupidez, não chega a ser realmente uma tragédia. Se houvesse um adulto ou um rapaz mais experiente por perto, simplesmente dariam um "corte" e impediriam os excessos. Os mais jovens adotariam o exemplo para si, e a prática acabaria. Mas a cultura dos meninos é de um cego guiando outro a maior parte do tempo, e o comportamento acaba se nivelando por baixo. Robert Bly chama isso de "sociedade de irmãos", em que não há superiores.

A pressão dos colegas pode funcionar para o bem ou para o mal. Durante a minha juventude, muitas vezes vi rapazes falarem com firmeza e impedirem outros de passarem dos limites. Veteranos da guerra do

7. Desenvolvendo uma sexualidade saudável

Vietnã me contaram como dissuadiram colegas de cometer atrocidades quando tomados pela raiva ou pelo sofrimento. Impedir que o outro se meta em confusão é uma boa maneira de os homens se ajudarem.

Em um grupo, é preciso habilidade para dar uma direção melhor aos fatos. E uma criança só aprende isso quando vê alguém administrando uma situação semelhante. Na época em que trabalhei em escolas, foram muitas as vezes em que vi um garoto se machucar acidentalmente durante uma brincadeira, e os maiores virem ajudar, solícitos e cuidadosos. Em outras situações, o grupo só fazia rir, acrescentando humilhação ao ferimento, ou agia com grosseria, abandonando o menino que sofria. Os garotos que ajudavam geralmente vinham de famílias grandes, com irmãs e irmãos mais novos, e estavam acostumados a assumir um papel protetor. Eram seres humanos mais íntegros, de mais fácil convívio.

Um grande problema para muitos meninos é a dificuldade que sentem em falar de assuntos pessoais com os colegas. Assim, perdem toda a oportunidade de receber o apoio, o esclarecimento e o alívio que vêm de uma conversa mais séria. Na minha infância, nenhuma conversa ia além do último episódio de *Missão impossível*. As garotas, por outro lado, eram capazes de conversar incansavelmente. E havia muitos problemas sobre os quais teríamos o que falar: o menino que sentava ao meu lado frequentemente apanhava do pai alcoólatra; os pais de vários colegas tiveram divórcios tumultuados durante o ensino médio. Eu só soube disso anos mais tarde, embora passasse muitas horas por dia ao lado deles.

Quando pais e mães, os pais em especial, conversam abertamente com os filhos e escutam seus problemas, é maior a chance de que os garotos levem esse hábito para o grupo de amigos. E que diferença isso faz!

Como os garotos se sentem em relação às garotas

Lá pela metade da adolescência, os garotos acham as garotas maravilhosas. Invejam a facilidade com que elas riem e conversam com as amigas, a segurança e o encanto físico delas. Mas, acima de tudo, têm consciência da tentadora promessa sexual que elas representam. A essa mistura poderosa ainda se junta o forte traço romântico que muitos garotos carregam. Com isso, são capazes de investir uma intensidade quase espiritual à idealização de uma determinada garota, considerando-a o resumo de tudo que existe de nobre e puro.

Mas há alguma coisa no caminho do relacionamento diário com garotas de verdade. Elas têm mais facilidade de conversar. Para eles, é difícil saber o que dizer a elas. E, quando chegam ao ensino médio, as garotas são muito mais amadurecidas fisicamente que os garotos da mesma idade. Elas parecem verdadeiras deusas para aqueles rapazinhos de peito magricela e pernas curtas!

As garotas parecem "donas do pedaço". Muitos garotos, em especial os franzinos, malvestidos, narigudos, gordos ou de pernas finas, começam a achar que nunca vão conseguir nada com elas. Sentem-se destinados a sempre perder no jogo do amor. E isso fica marcado na mente deles.

Na verdade, o que os garotos não sabem é que as garotas também se sentem inseguras e sem graça. Elas gostariam de conversar, estar junto e partilhar afeição com eles. Se eles "baixassem a guarda" socialmente ou fossem um pouco mais arrojados, muitas coisas poderiam acontecer entre garotos e garotas. Em vez

7. Desenvolvendo uma sexualidade saudável

disso, elas cochicham e riem deles, eles implicam e debocham delas, enquanto os quietinhos ficam só observando.

É nessa idade que a mentalidade "insensível" geralmente se instala: "Se não posso agir com as garotas de igual para igual, vou ter de controlar a mentalidade delas". Para isso, contribuem o fenômeno das revistas para garotas adolescentes e o estilo pornô *soft* dos videoclipes na televisão. A mensagem "Olhe, mas não toque" é uma tremenda provocação e alimenta uma raiva, de certo modo bastante válida e intensamente carregada de um aspecto sexual. Se os garotos não tiverem oportunidade de conversar e conviver com garotas de verdade, mais inclinados ficarão a tecer fantasias sobre controle e dominação. Sua atitude a respeito das mulheres e sua capacidade de se relacionar com elas como pessoas ficam cada vez piores.

O Movimento dos Homens partilha com o Movimento das Mulheres a revolta pela utilização, em anúncios, de imagens que agarram os nossos filhos pelo pênis, por assim dizer. Anos atrás, em Adelaide, durante uma apresentação de Elle McPherson, um jovem pulou para o palco e gritou "Sua piranha!", antes de ser expulso pela segurança. A seguir, subiu em um edifício alto e pulou lá de cima para a morte.

De certo modo, falta coração em todo o emprego da sexualidade na propaganda. O coração do jovem não é independente da pélvis, mas, como escreveu um deles, "a figura nunca corresponde ao seu amor". Os pais se irritam com a manipulação – não que tenham alguma coisa contra a sexualidade, mas porque é um engodo barato para jovens solitários.

O ponto final desse processo de "insensibilização" é o jovem que estupra uma menina ou o adulto que ataca sexualmente as próprias filhas, ou, ainda, o homem que visita bordéis obsessivamente. E todos eles são muito comuns.

Mas existem muitos homens equilibrados que trazem da infância um enorme complexo de inferioridade na área do sexo e do romance, o que os torna amantes medíocres e faz com que suas mulheres logo logo percam o interesse. Assim, ficam desesperados por sexo e exercem pouca atração sobre elas; pouco atraentes, ficam desesperados por sexo e assim por diante. Suspeito que essa seja a causa do fracasso da maior parte dos casamentos. A infância é a época em que algumas palavras positivas, algum afeto e a valorização por parte de pais e amigos podem fazer toda a diferença para a felicidade no futuro.

Como os garotos fecham seus corpos

Já reparou como os meninos começam a esconder seus sentimentos assim que chegam à idade escolar? Menininhos são cheios de sentimento e energia, mas, na selva que é o pátio da escola, sentem vergonha de emoções úteis e saudáveis, como a tristeza, o medo e a ternura. Por isso, o garoto endurece os sentimentos e deixa o corpo mais tenso. Se você tocar os ombros de um menino de dez anos, vai descobrir que seus músculos estão endurecidos pela tensão.

Então, um dia, chega a puberdade. Uma parte daquele corpo fechado subitamente salta para a vida, como uma plantinha que rompe o solo congelado. De repente, o garoto toma consciência da maravilhosa sensação de estar cheio de vida e disposição – tudo no mesmo lugar! Não admira que ele logo estabeleça a ligação entre seus sentimentos de intimidade – e toda a sensação de vigor e bem-estar – às atividades do pênis.

Os meninos querem se sentir vivos em seus corpos. É por isso que gostam das músicas com uma batida pesada e amam a atividade, o perigo e a velocidade. Instintivamente, sabem que, assim, podem ingressar na vida adulta. O garoto que aprecia seu corpo e é capaz de dar um abraço na mãe, no pai e nas irmãs, em geral tem muitas maneiras de se sentir bem: dançando, fazendo música, praticando esporte. Para ele, o sexo tem um peso um pouco menor. É um prazer, e não uma obsessão.

Clareza e positividade

Os pais devem ter cuidado para não levar a sexualidade para o terreno das coisas misteriosas, ridicularizando o filho quanto ao sexo ou às garotas. Quando o tema surgir em conversas à mesa ou em filmes na televisão, aproveite a oportunidade. Quando o menino passar dos dez anos, use palavras relativas a sexo normalmente na conversação: masturbação, relações sexuais, orgasmo, ou mesmo aquelas mais assustadoras, como estupro e incesto. Fale com clareza sobre sexo, como um aspecto agradável e excitante da vida.

Exija maturidade, com bom humor. Se notar os seus filhos rindo disfarçadamente ou reagindo de modo tolo a um incidente na TV ou na conversa, não deixe passar. Pergunte e procure fazê-los entender. Mas sempre acabe com uma brincadeira ou uma risada. Dê uma conotação positiva. O antídoto para a "insensibilidade" são o afeto, o humor e a franqueza.

As mães podem ajudar muito. Se a mãe é afetuosa, elogia as qualidades do filho e tem o respeito do marido, que expressa a atração que sente por ela de maneira positiva e atenciosa, o menino aprende a se relacionar com as meninas com atração e *igualdade*. Se meninos e meninas, na escola ou grupo de jovens, são estimulados a se juntar, conversar e ter amizade que não se confunda com "namoro", podem aprender mais sobre o sexo oposto sem a sensação de estarem "amarrados". Podem se formar em amizade e fazer pós-graduação em romance, mais tarde.

A tendência firme e pouco saudável de sexualizar a infância vem se desenvolvendo há alguns anos no estilo de vestir, em personagens de filmes e anúncios *sexy*. Quem perde com isso são as próprias crianças.

Evite comprar as amizades de seus filhos em termos de "ela é a sua namorada, que lindinha", especialmente quando a menina tem apenas cinco anos!

Carinho se aprende

Nos anos 1960, o antropólogo James Prescott fez um estudo em larga escala sobre educação e violência em várias sociedades diferentes. Descobriu que nas sociedades em que as crianças recebiam menos toque físico e menos afeto, havia muito mais violência da parte dos adultos. Fica claro que, quanto mais tranquila e amorosa é a vida da criança, mais segura e afetuosa ela será ao chegar à idade adulta. Os delinquentes e outros predadores sexuais quase sempre têm uma história de rejeição, de passagem por instituições e infância tumultuada. Tratar a criança com carinho e afeto é imunizá-la contra o desejo ou a necessidade de ferir os outros.

Seu filho e a pornografia *on-line*

Quando éramos adolescentes, quase não se ouvia falar em pornografia. Claro que a maioria dos garotos dava um jeito de camuflar algumas revistas onde se viam mulheres quase nuas. Na parede do quarto, havia no máximo o famoso pôster de Raquel Welch vestindo um biquíni de pelo de coelho, como aparece no filme *Um milhão de anos antes de Cristo*. Os pais nem reparavam, ou concluíam que não valia a pena comentar.

Como psicólogo, eu consideraria a situação normal e saudável, já que tudo acontecia em particular, discretamente, como o próprio sexo. Limites respeitosos são importantes nos relacionamentos, em especial nas circunstâncias que envolvem vulnerabilidade e envolvimento emocional.

A intensificação da pornografia na internet trouxe à tona o assunto, e hoje, tanto as autoridades competentes quanto os profissionais ligados à saúde mental estão assustados, e buscam uma resposta à altura. Os

7. Desenvolvendo uma sexualidade saudável

pais precisam tomar consciência da situação, pois os danos causados à mente dos meninos tornam-se cada vez mais claros.

Em 2012, a renomada Tavistock Clinic, em Londres, fez soar um alarme dirigido aos pais do mundo inteiro, ao revelar o aumento dos casos de garotos viciados em pornografia pesada *on-line*. Um deles, que iniciara a prática aos dez anos, contou ao terapeuta: "Nunca imaginei que as pessoas pudessem fazer aquelas coisas. Os *sites* me levavam a outros *sites*, e cheguei a ver crianças e animais abusados e machucados". Por três anos, sem que os pais soubessem, ele acessava imagens pornográficas durante horas, todas as noites. Os efeitos ainda se fazem sentir. "As cenas voltam à minha memória às vezes. Fico pensando se algum dia vou encontrar uma namorada legal" – ele confessou ao terapeuta.

Esse tipo de dependência pode levar a agressões e estupros na vida real. Entre os pacientes da Tavistock Clinic, havia um menino que abusava da irmã de cinco anos, e outro, de 12 anos, exibia o corpo para professores e colegas de escola.

Segundo o terapeuta John Woods, em entrevista ao jornal *Daily Mail*, do Reino Unido, para cada caso de criança envolvida com pornografia, que chega ao conhecimento de terapeutas ou policiais, existem milhares de que ninguém fica sabendo. Um relatório divulgado pelo Parlamento britânico em 2012 indica uma chocante porcentagem de 80%, entre os jovens de 16 anos, com acesso regular à pornografia na internet. Além disso, um em cada três garotos de dez anos já viu material explícito. Esses são os casos mais preocupantes, porque a sexualidade está em formação, e pode facilmente ser moldada para a crueldade e o sexo sem intimidade. É o caso de perguntar: O que os pais estão fazendo, que não percebem o comportamento *on-line* dos filhos?

Pesquisadores concluíram que, quanto mais os homens e meninos têm contato com a pornografia, mais desprezam as mulheres, tratando-as como objetos. Ao deixarem de respeitá-las como pessoas, parecem acreditar que elas merecem ser maltratadas. O sexo *on-line* nunca é satisfatório; o usuário sempre procura material mais pesado. Os *sites* pornográficos são projetados para causar dependência, e, às vezes, usam personagens infantis ou surgem em meio a jogos, para atrair os jovens.

A neuropsicóloga Susan Greenfield escreveu longamente acerca dos efeitos da internet sobre a mente e a respeito dos mecanismos que levam à dependência do prazer instantâneo. Os garotos que se prendem à pornografia *on-line* costumam passar horas "surfando" na rede, enquanto deveriam estar dormindo ou estudando. Muitos relatam aos terapeutas que, por sentirem dificuldade em se relacionar ao vivo, preferem o sexo pela Internet.

O QUE FAZER?

Devido à proliferação de *smartphones* e *iPads* com *wifi*, o seu filho provavelmente vai aprender com os colegas. Por mais difícil que pareça, é importante vocês conversarem calmamente sobre a existência de *sites* pornográficos repulsivos. Diga que a exposição a esse tipo de pornografia faz mal. Instale filtros para os *sites* visitados e deixe o computador em partes comuns da casa, não nos quartos. Se as suas crianças possuem *smartphones*, ponha os aparelhos para carregar na cozinha durante a noite. Cuide, porém, para que o seu filho não se sinta mal por ser curioso ou experimentar atração por fotografias de mulheres: isso é perfeitamente normal. Esclareça que pretende apenas protegê-lo da dependência. A pornografia é tentadora, e sempre haverá um colega para convidar: "Olhe isto aqui!" O menino que é capaz de responder "Não, obrigado, estas coisas mexem com a minha cabeça" é aquele que vai encontrar na vida real relacionamentos muito melhores e mais felizes.

Finalmente, assim como existem leis que restringem o acesso de crianças ao álcool e ao fumo, faz-se essencial que os provedores de serviços de internet encontrem meios de que a pornografia só seja acessada com ações deliberadas e identificadas. A pornografia representa uma indústria mais abrangente do que o esporte, e por isso conta com um *lobby poderoso*, que só pode ser derrotado com determinação verdadeira.

E SE O FILHO FOR HOMOSSEXUAL?

Mesmo antes do nascimento do nosso filho, já fizemos um mapa para a vida dele. E os sonhos são sempre conservadores: carreira, casamento e netos para sentar no colo! Descobrir que o filho adolescente é homossexual destrói várias dessas esperanças tão queridas, substituindo-as por imagens assustadoras. É natural sofrer e se preocupar.

Parte do problema são os estereótipos. Embora a parada anual tenha feito muito pelo orgulho *gay*, não acabou com as fantasias das mães e pais, nem é uma representação realista de um estilo de vida.

Na verdade, as preocupações dos pais de um adolescente homossexual são as mesmas de qualquer pai e mãe. O que todos querem é ver os filhos felizes. Querem que o filho administre sua sexualidade com responsabilidade e respeito por si. E esperam que não se aventure em mundos que estejam além de seu alcance e entendimento.

Adolescentes homossexuais precisam de apoio. Sem dúvida, estão em situação de risco, risco de serem rejeitados por nós ou hostilizados pelo mundo. Hoje em dia, acredita-se que muitos suicídios de jovens se devem ao fato de descobrirem que são homossexuais. Eles precisam de pais que os ouçam, compreendam e protejam de assédio ou perseguição.

De nada adianta ficar pensando "por quê?" ou "onde foi que nós erramos?". Cada vez há mais evidências de que alguns bebês trazem do útero uma estrutura hormonal que determina se o cérebro é homo, bi ou heterossexual. Pelo menos um em cada vinte jovens é homo ou bissexual.

Às vezes, a dinâmica da família tem seu papel – certamente alguns homossexuais tiveram pais severos e distantes e procuram afeto de pai no amante. Mas isso não é suficiente para determinar a orientação sexual. Tentar dissuadir o jovem de sua opção sexual só o faz sentir-se mais rejeitado e mais desesperado.

A vida de um homossexual certamente tem seu lado feio, de solidão e rejeição. Mas, se você dá apoio ao seu filho, é muito menos provável que ele se desespere ou sinta desprezo por si mesmo. Com apoio, ele se respeita e faz a opção pelo sexo seguro, por exemplo. Existem muitos homens e mulheres homossexuais felizes e bem-sucedidos. A vida é melhor para o adolescente *gay* quando adultos *gays*, por assumirem sua homossexualidade, ficam mais em evidência para esses adolescentes. Talvez um dia as escolas decidam ter em suas equipes não apenas heterossexuais para que os alunos vejam que gente normal, interessada e feliz pode ser homossexual.

Se essa é a opção de seu filho, é bom se desarmar e procurar aprender ao máximo. O mais difícil de ser pai de um homossexual é o isolamento, pois ele se sente diferente dos outros pais. A melhor coisa a fazer é conversar com outros na mesma situação. Um filho homossexual pode levar você a um mundo de gente interessante e maravilhosa!

EM POUCAS PALAVRAS

1. Ensine aos meninos a diferença entre gostar, amar e desejar.
2. Quando o menino entrar na idade de dois dígitos (dez anos), faça um pequeno rito de passagem e transmita algumas mensagens positivas sobre sexo.
3. Evite a insensibilidade, ensinando os seus filhos a respeitar todas as pessoas. Ajude-os a encontrar atividades e ambientes propícios à amizade entre meninos e meninas.
4. Desencoraje o hábito de sexualizar o relacionamento entre menino e menina antes dos 16 anos.
5. Lembre-se de que os meninos também querem ser amados.

7. Desenvolvendo uma sexualidade saudável

6. Ajude-os a manter seus corpos vivos por meio da dança, música, ou massagem. Enquanto o seu filho se sentir confortável, continue a fazer carinho e abraçá-lo.
7. É recebendo que se aprende a dar carinho, desde bebê. As verdadeiras lições sobre relacionamento acontecem por volta dos três anos.
8. A masturbação não faz mal. Pelo contrário.
9. Desestimule a pornografia; discuta o assunto e as mensagens passadas. Não envergonhe o garoto por seu interesse, mas converse sobre o que é erotismo positivo, que envolve respeito, felicidade, relacionamento. E quem sabe seria bom ajudá-lo a encontrar esse tipo de erotismo?
10. A mãe pode ajudar o filho a entender o que as garotas apreciam no jovem: amabilidade, boa conversa e bom humor.

Capítulo 8

Uma revolução na educação

Muitas escolas hoje em dia são verdadeiros campos de batalha. Os professores estão estressados e são mal remunerados; os alunos têm cada vez menos o que deveriam adquirir em casa: boas maneiras, influências positivas, a sensação de terem sido desejados e serem amados. O número de homens que trabalham em escolas reduziu-se drasticamente. São as mulheres que têm de lidar com garotos desrespeitosos e fisicamente intimidativos. A sala de aula transformou-se num campo de luta com apenas dois objetivos: fazer as garotas estudarem e os garotos se comportarem.

É verdade que os garotos provocam tensão, mas eles também sofrem. São superados pelas garotas em quase todas as matérias. Para o bem de todos, é preciso que se faça alguma coisa pela motivação dos garotos.

Pelo que já vimos neste livro sobre as diferenças entre os cérebros, os hormônios e a necessidade de modelos masculinos, fica claro que as escolas podem e devem mudar, se querem se tornar um lugar positivo para os garotos. Aqui estão alguns pontos de partida.

8. Uma revolução na educação

1. Os meninos começariam mais tarde

O desenvolvimento mais lento da coordenação motora fina dos meninos e de suas habilidades cognitivas sugere que eles se beneficiariam se iniciassem o período escolar mais tarde.

Não precisa ser um procedimento rígido. Pode ser baseado em uma avaliação simples da coordenação motora fina e resultado de um consenso entre os pais e a equipe da escola. Muitas escolas se esforçam em dissuadir os pais que consideram a educação uma corrida, querendo matricular os filhos cada vez mais cedo para que saiam na frente!

Os pais mais atentos, uma vez que recebam explicações, compreendem as vantagens de retardar o começo da vida escolar dos meninos. Como os aniversários se distribuem por todo o ano, tem de haver uma certa flexibilidade com base na verdadeira capacidade – uma abordagem muito mais racional. Algumas meninas que se desenvolvam mais lentamente também se beneficiam do adiamento por um ano.

2. Mais homens trabalhando nas escolas, mas do tipo certo

Em consequência dos divórcios e do número crescente de mães que criam seus filhos sozinhas, chega a um terço a proporção de meninos que não têm o pai presente em casa. A faixa de idade que vai dos seis aos 14 anos é o período em que os meninos mais sentem falta do estímulo e do exemplo masculinos. Portanto, é vital que haja mais homens no magistério do ensino fundamental. Mas não seria qualquer um; teria de ser o homem do tipo certo.

Pedi a vários professores que me descrevessem o tipo certo de homem para trabalhar com meninos. Duas qualidades aparecem sempre.

- **Uma mistura de afetividade e rigor.** Obviamente, alguém que goste de jovens e saiba elogiar no momento certo. Alguém que não

precise "fazer parte da turma" e que tenha uma postura firme e sensata. Assim, a ordem prevaleceria, e o estudo, as excursões, o esporte e quaisquer outras atividades poderiam acontecer. Mas sem abrir mão da afetividade e do senso de humor.
- **Espírito desarmado.** Um homem que esteja no comando, mas faça isso de modo a não desafiar todos os meninos com testosterona em alta na sala de aula. Alguém que não precise provar nada nem se sinta ameaçado pela exuberância da juventude.

Uma professora bastante sensata contou este fato.

"Todas as vezes em que um garoto foi expulso nesta escola, desde que eu leciono aqui, o que aconteceu foi o seguinte: eles desafiaram um professor, foram mandados para outro que os irritou ainda mais. Tudo se transformou em uma queda de braço em que ninguém queria ceder".

3. Problemas
de disciplina exigem envolvimento

Garotos se metem em confusão para chamar a atenção. Pesquisei em escolas do mundo todo, e a resposta sempre foi uma equação comprovada: menino com falta de pai é igual a problema de disciplina na escola. Os meninos carentes de pai inconscientemente querem um homem que se envolva e resolva os problemas de sua vida, mas não sabem pedir. As meninas *pedem* ajuda, mas os meninos geralmente *agem* para pedir ajuda.

Se conseguirmos que professores do sexo masculino se envolvam com esse tipo de garoto, de preferência antes que comecem os problemas, isso pode representar uma reviravolta na vida dos meninos. E, se o menino se meter em confusão, o professor deve trabalhar a seu lado, orientando e ajudando.

Estudos recentes apontaram que os meninos que agem na escola como se não ligassem para nada, na verdade *querem* ser aceitos e bem-sucedidos. É como se estivessem diante de uma rampa íngreme demais. Nós os castigamos, mas não oferecemos liderança. E liderança não é uma coisa que vem simplesmente da autoridade: é pessoal.

Em algumas escolas, a vitalidade dos jovens é vista como ameaça a ser combatida. Antes, esse combate era conseguido por meio de castigos que consistiam em trabalho maçante e obrigatório. Hoje em dia, são as suspensões, o afastamento da sala de aula ou os sistemas de relatório tediosos e burocráticos. Um professor me descreveu o sistema de relatório disciplinar da escola onde trabalha como sendo "lento, inconclusivo e impessoal". Tudo isso se baseia em uma psicologia de distância, e não de proximidade: "Você é mau; por isso, vai ficar de lado". Deveria ser: "Se você precisa tanto de ajuda, vamos nos envolver com você".

4. Educação com energia

O ambiente das escolas parece destinado a educar senhores experientes e não jovens esbanjando energia. Todos devem ficar quietos, bonzinhos e dóceis. A estimulação não parece fazer parte de tal tipo de aprendizagem, embora muitos professores maravilhosos consigam levar prazer e energia para suas aulas, e muitas crianças embarquem nesse espírito.

A passividade exigida pela escola contradiz tudo o que se sabe sobre crianças e, em especial, sobre adolescentes. A adolescência é a idade da paixão. Garotos (e garotas) desejam um experiência de aprendizagem que seja intensa e interessante, com homens e mulheres que os conheçam um por um e os desafiem e, a partir desse conhecimento específico de suas necessidades, que façam um trabalho conjunto para formar e ampliar seu intelecto, seu espírito, suas habilidades. Se a criança não acordar de manhã e disser "Oba! Hoje tem aula!", é porque alguma coisa está errada.

Algumas crianças têm mais paixão do que outras. Suas paixões e talentos específicos – e não apenas os níveis de testosterona – deixam certas crianças ansiosas por fazerem alguma coisa importante, socialmente útil ou realmente criativa. Quando essa vitalidade não é canalizada, transforma-se em mau comportamento e desordem.

A paixão da criança precisa de um investimento equivalente de pais, professores e outros mentores. Os antigos iniciadores não eram negligentes ou passivos. Eles levavam o menino para o deserto e ensinavam sobre a vida e a morte. As cerimônias de graduação eram eventos poderosos e significativos para o jovem. Em outras culturas, os garotos dançavam a noite inteira sem parar ou caminhavam 300 quilômetros para conseguir material para sua iniciação. Essas sociedades entendiam da energia da adolescência.

5. O diretor é a chave

Um professor experiente, ou um diretor, é uma figura importante e simbólica na mente da criança, algo entre um pai substituto e um deus substituto! Sabendo disso, tal profissional deve se esforçar ao máximo para conhecer os alunos, especialmente aqueles propensos a causar problemas, antes que "aprontem". Assim, se houver um problema, o relacionamento já estará estabelecido, e será mais fácil buscar a solução.

O diretor também é importante para fazer com que o garoto aceite a autoridade, que costuma ser rejeitada

A PASSIVIDADE EXIGIDA PELA ESCOLA CONTRADIZ TUDO O QUE SE SABE ACERCA DE CRIANÇAS E, EM ESPECIAL, SOBRE ADOLESCENTES.

atualmente. Peter Ireland, diretor de escola, escreveu em *Boys in schools* sobre uma estratégia que implementou no MacKillop Senior College. Peter instituiu reuniões regulares no pátio do colégio com alguns garotos para fortalecer seu senso de participação na vida escolar. O foco das reuniões era entender a visão que os garotos tinham da escola, os impedimentos para seu envolvimento e a solução para isso. Os que participavam das reuniões aumentaram significativamente seu envolvimento nos próprios estudos e na vida em comunidade dentro da escola. Só precisavam de estímulo.

Histórias do coração

Olá, sr. diretor!

(Este incidente aconteceu em uma das mais conceituadas escolas da Austrália. A história foi enviada por um pai, depois da visita que fiz à escola em meados dos anos 1990.)

O garotinho entra correndo pelo portão da escola onde estuda há poucos meses. Está cada vez mais confiante, mas ainda hesita em algumas situações. É quando vê o diretor caminhando em sua direção. O diretor é o rei da área! O "rei" inspira admiração no jovem "súdito". O garotinho reúne toda a sua coragem e olha para cima, bem para cima, porque o rei é muito alto.

— Bom dia, senhor — ele cumprimenta.
O rei olha para baixo e diz:
— Não sabe que deve tirar o boné? — e se afasta.

Um incidente sem importância. Mas, no entanto, poderia ter sido tão diferente! Bastava que o diretor tivesse dito "Bom dia! Qual é o seu nome?" ou "Em que turma você estuda?" ou "Está gostando da escola?" ou, ainda, "Você tem aula com o sr. Scully ou a sra. Plaine?".

Poderia ter havido uma troca entre eles. E, no final, o diretor diria: "Gostei de conhecer você. Mas da próxima vez que encontrar o diretor, tire o boné, certo?".

Aquele minutinho provocaria um cumprimento afetuoso (e um boné retirado!) toda vez em que os dois se encontrassem e garantiria respeito e confiança da parte do menino. Ele teria segurança para cumprimentar qualquer professor daquele "reino". Ele se sentiria bem, sabendo ser alguém, e não apenas um número usando meias de cor cinza.

O garotinho vai crescer. Um dia pode ser prefeito, campeão de remo ou o melhor aluno do colégio. Ou pode ser um homem maravilhoso cujo estilo de vida dê prazer a todos que o conheçam. Aquele minuto único faria o diretor conhecer um aluno e faria o menino reconhecer que era parte daquela escola. Aquele minuto único atrairia expectativas positivas para uma carreira escolar e profissional.

Mas a oportunidade se perdeu.

UM DIRETOR OU UM PROFESSOR EXPERIENTE SÃO FIGURAS IMPORTANTES E SIMBÓLICAS NA MENTE DA CRIANÇA.

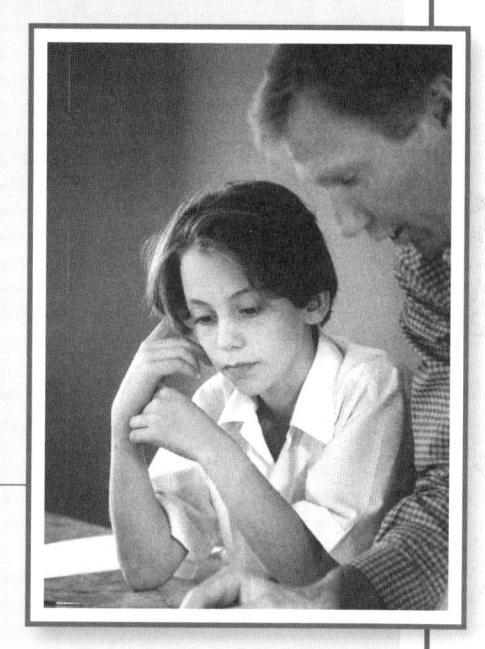

6. Ajudando os garotos
com suas áreas vulneráveis

Linguagem e expressão são áreas especificamente difíceis para os garotos. Conforme já explicamos, o cérebro dos meninos é estruturado de modo que fica difícil pegar os sentimentos e impressões do lado direito e traduzir em palavras do lado esquerdo. Eles precisam de ajuda extra para dominar a linguagem escrita, expressar-se oralmente e aproveitar a leitura. Qualquer que seja o conceito de igualdade em educação, eles têm direito a essa ajuda. Existe uma necessidade urgente de programas especiais em linguagem, leitura e artes cênicas, para garotos, a partir do Jardim da Infância.

7. Ajudar os garotos ajuda as garotas

Hoje, é considerável a inquietação acerca de educação masculina e feminina. A situação é vista como um conflito entre ajudar os garotos ou ajudar as garotas. No entanto, a maioria dos professores de turma não está nem um pouco interessada nesse tipo de política – o que eles querem é ajudar os alunos em geral. Ficam satisfeitos em ampliar os horizontes das garotas, mas também se preocupam com as necessidades dos garotos.

Meninos, meninas, população de baixa renda, grupos étnicos, cada um é um desafio diferente. Todos são humanos, todos são especiais, e todos merecem ser tratados conforme suas necessidades individuais. Esse é o caminho que a educação deve tomar.

A MAIORIA DOS PROFESSORES FICA SATISFEITA EM AMPLIAR OS HORIZONTES DAS GAROTAS, MAS TAMBÉM SE PREOCUPA COM AS NECESSIDADES DOS GAROTOS.

Na prática

Como identificar um aluno
com carência da presença do pai

As quatro principais pistas que indicam que o menino sente seriamente a falta do pai são estas:

- estilo de relacionamento agressivo;
- comportamento e interesses hipermasculinos: armas, músculos, caminhões, morte;
- repertório extremamente limitado de comportamento, como circular numa atitude distante, resmungando algumas poucas palavras;
- atitude depreciativa em relação a mulheres, homossexuais e outras minorias.

Todo professor de ensino médio no mundo ocidental reconhece essas características. Vamos examinar as causas.

O estilo agressivo de relacionamento é um meio de o garoto disfarçar a própria insegurança. Por falta de apreciação e respeito de homens mais velhos, ele faz pose de durão. A regra é: ataque antes de ser atacado. Se o garoto tem pouco contato com o pai ou outros homens, não sabe bem como é ser homem. Não tem as palavras, a visão, não sabe como lidar com seus sentimentos. Como nunca viu alguém fazer, não sabe como:

- lidar com um conflito de maneira bem-humorada;
- conversar com mulheres com naturalidade e sem atitudes "machistas";
- expressar pesar ou satisfação, pedir desculpas etc.

Um garoto assim só tem duas fontes de onde retirar sua imagem de masculinidade: os personagens masculinos de filmes e os próprios colegas. Se o herói dele é Jean-Claude van Damme, isso não ajuda muito quando se trata da vida real. E seu grupo de colegas está tão perdido quanto ele: só é capaz de palavras ou exclamações curtas, como "Vamos nessa".

Assim como outros homens com quem conversei, ainda me lembro de, na infância, ter muito medo de ser ridicularizado ou agredido por outros garotos. Meninos têm medo do ridículo, por mais que pareçam durões. Geralmente, se sentem profundamente envergonhados de sua lentidão na leitura oral e têm verdadeiro pânico de serem apontados pelo professor ou de parecerem bobos na sala de aula. Os mais inteligentes passam pelo problema contrário: não querem ser chamados de "CDF", de queridinho do professor e têm medo de ser excluídos ou expostos ao ridículo. Quem é criativo ou diferente corre o risco de ser rotulado de "bicha" – ou pior!

O garoto que conta com o apoio do pai, da mãe, de tios e outros lida melhor com isso, porque não sente sua masculinidade posta à prova. O que não tem certeza da masculinidade precisa disfarçar, e a melhor proteção é adotar uma pose de machão, irradiando agressividade, de modo que ninguém perceba o quanto está assustado. Ele normalmente avança e derruba os adversários – e isso faz com que se sinta mais seguro.

O mesmo acontece com os interesses. Um cara durão só pode ter interesses fortes. Sem a perspectiva de um homem de verdade por perto para ampliar seus interesses por *hobbies*, esportes ou Música ou envolvê-lo em trabalho criativo no jardim ou na oficina, o garoto se sente atraído por tudo que o faz sentir-se masculino: personagens musculosos, armas, caminhões, e assim por diante.

A valorização é o antídoto.

Se o pai, o tio ou um amigo mais velho elogiam um garoto, isso automaticamente melhora a autoimagem dele. Vamos imaginar que a família esteja voltando de um churrasco com amigos, e o pai diga casualmente: "Você foi ótimo organizando o jogo das crianças. Elas adoraram!". O filho absorve completamente o elogio. A mãe poderia ter dito a mesma coisa, mas para o adolescente não tem o mesmo peso. Ou digamos que um professor ou um amigo veja o garoto batucando na mesa um ritmo complexo e fale: "Olha, você podia ser baterista; esse ritmo é muito difícil". Cada um desses comentários faz crescer o conceito que o garoto tem de si. Ele fica mais ousado e menos dependente da aprovação dos colegas.

O que é que você é? Uma garota?

Se você não sabe o que é, existe uma maneira de consolidar a sua autoimagem: declarando o que você *não* é. O Dr. Rex Stoessiger apontou em seu trabalho sobre a alfabetização de meninos que aqueles que não possuem uma imagem masculina positiva se definem como *não* sendo meninas. Então, eles *não* são nada que as meninas sejam: sensíveis, falantes, emotivos, atenciosos, cooperativos e afetuosos. Rejeitam qualquer qualidade mais compassiva e rejeitam as garotas também. Rejeitam a gentileza dos povos nativos, o calor dos habitantes do Sul da Europa e o estilo dedicado de muitos asiáticos, para que não sejam eles mesmos rejeitados pelos colegas, que demonstram sempre uma postura de "durões". Ao terem a quem odiar e rejeitar, se sentem mais fortes e respeitáveis.

Daí se conclui que o caminho para acabar com o racismo e o sexismo, que são importantes problemas sociais do mundo moderno, passa pela autoestima dos garotos.

Intimidação

É triste constatar que a intimidação faz parte da vida de muitos garotos. Um estudo feito na Austrália com cerca de 20 mil estudantes dos ensinos fundamental e médio concluiu que um em cada cinco deles sofria algum tipo de intimidação ou agressão na escola pelo menos uma vez por semana. Os Drs. Ken Rigby e Philip Slee, especialistas no assunto, acreditam que a escola tem uma grande responsabilidade pelo surgimento do problema e por sua solução – mas os pais também podem ajudar.

8. UMA REVOLUÇÃO NA EDUCAÇÃO

Ken Rigby declarou recentemente, em uma conferência, que muitas classes escolares se baseiam na competição, o que leva os estudantes menos capazes a se sentirem excluídos e ressentidos. Então, intimidar os colegas é a maneira que encontram de recuperar alguma dignidade. O Dr. Rigby acredita que, em muitos casos, a própria escola intimida o aluno, depreciando-o, fazendo com que se sinta inútil e deixando de oferecer a ele uma maneira digna de aprender e mudar.

Estou convencido de que os "valentões" são, com frequência, intimidados ou agredidos em casa, o que os leva a perder a aversão natural que a maioria das crianças tem a fazer mal a alguém. Fazem aos outros o que é feito a eles. A intimidação é parte de um tempo que já passou, quando os maridos batiam rotineiramente nas mulheres, pai e mãe batiam nos filhos, e assim por diante. Felizmente, a violência doméstica é cada vez menos aceita.

Ken Rigby recomenda que, embora a escola precise de regras sobre brigas e agressões – e, às vezes, alguns alunos precisem ser afastados para preservar a segurança dos outros –, a melhor solução é adotar uma política para toda a instituição. Isso significa falar sobre intimidação e agressão já em sala de aula, explicar o que é e deixar claro que não pode acontecer. Inclui ainda manter pessoal adequado na área de recreação e sempre interferir ativamente quando um aluno relatar que foi intimidado ou agredido. Os melhores métodos envolvem "não agredir o agressor", mas trabalhar com ele e com o grupo, de modo a fazê-lo entender o mal que está causando e tornar o problema uma preocupação comum a todos.

Surpreendentemente para muitos, é uma abordagem que costuma dar bons resultados. Métodos de discussão em grupo têm uma grande vantagem sobre o castigo, já que não escondem nem aumentam o problema, tornando o agressor um excluído ou um desajustado. Tais métodos devem ser implementados adequadamente. As escolas e os pais que estiverem interessados podem consultar o excelente manual do Dr. Ken Rigby: *Bullying in schools and what to do About it*, ACER, 1996.

O que os pais podem fazer

Para os pais, os seguintes indicadores são sinais de alerta de que o filho pode estar sendo ameaçado:

- Sinais físicos: equimoses, arranhões e cortes inexplicados ou roupas e objetos danificados.
- Doenças causadas pelo estresse: mal-estar, dor de cabeça ou de estômago.
- Comportamento de quem está assustado: medo de ir a pé para a escola, procurar variar o trajeto, pedir para alguém acompanhar.
- Queda de qualidade nos trabalhos escolares.
- Chegar da escola com fome: a merenda ou o dinheiro para comprá-la podem estar sendo roubados.
- Pedir ou roubar dinheiro: para "comprar" o agressor.
- Ter poucos amigos.
- Raramente receber convites para festas.
- Mudança de comportamento: acanhamento, gagueira, variações de humor, irritabilidade, agitação, tristeza, choro constante ou aflição.
- Falta de apetite.
- Tentativa ou insinuação de suicídio.
- Ansiedade demonstrada pela volta ao hábito de urinar na cama, roer unhas, medo difuso, tiques nervosos, insônia ou gritos durante o sono.
- Recusa em revelar o que há de errado.
- Desculpas improváveis para todas as situações anteriores.

É claro que existem outras razões possíveis para que tudo isso aconteça, e seria bom consultar um médico para investigar a causa dos sintomas físicos. Um bom médico também pode perguntar com jeito, para tentar descobrir se a criança está sendo intimidada.

Embora essas indicações possam parecer um tanto óbvias, o fato é que os garotos geralmente se recusam a falar do problema porque consideram sinal de fraqueza. Além disso, existe a possibilidade de o menino ter sido ameaçado com as consequências de contar o fato a alguém ou estar com medo de revelar o que acontece e tornar as coisas ainda piores.

Se a sua criança estiver sendo ameaçada, vá até a escola e converse com calma, levando por escrito as suas observações. Talvez você precise voltar uma ou duas vezes lá para que a escola tenha tempo de investigar e decidir o que fazer. Não "passe a bola", deixando por conta dos professores. Vai ter de ser um esforço conjunto. Você ou o orientador escolar também podem trabalhar com a criança para praticar a assertividade, aprender a dar respostas bem-humoradas às ofensas, a dizer ao agressor "pare, eu não gosto disso" e a agir com determinação. No ensino fundamental, o menino que sabe fazer amigos, evitar confusões e falar por si, em geral, é ignorado pelos valentões. Rigby e Slee recomendam que crianças que estejam sendo intimidadas recebam treinamento em Artes Marciais como meio de despertar confiança física e positividade.

As escolas onde há menos competitividade geralmente têm uma atmosfera mais amistosa, em que alunos e professores ficam mais próximos e se envolvem mais, onde a agressividade não é nada comum. Para uma criança muito sensível, pode ser bom mudar para uma escola assim.

Quase toda criança, seja menino ou menina, um dia passa pela experiência de sofrer intimidação, mas, se desenvolver habilidades para se impor, consegue superar. Muitas escolas vêm introduzindo os métodos descritos aqui; talvez a escola de seu filho precise que alguém dê a ideia. Todos nós – famílias, escolas e sociedade – precisamos aprender a viver sem praticar a intimidação.

8. Seres humanos aprendem pelo exemplo

Nunca se pode dizer que o conceito de exemplo já foi explorado o suficiente. Sempre que conversamos com um professor, o assunto aparece. A observação de exemplos segue estágios, como a evolução do ser humano. Somos animais de poucos instintos e precisamos adquirir habilidades complexas para sobreviver. Ao observar as pessoas que admiramos em ação, nosso cérebro incorpora habilidades, atitudes e valores. Não é preciso que os nossos modelos sejam grandes heróis; de certo modo, é preferível simplesmente ter pessoas acessíveis de quem gostamos. Um adolescente é como um míssil rastreador de exemplos que vai tocando em uma série de alvos até conseguir acumular material bastante para formar sua própria identidade. O exemplo precisa ser visto pelo adolescente como "alguém como eu" ou "alguém como eu gostaria de ser". As garotas precisam de modelos tanto quanto os garotos, mas para elas é muito mais fácil encontrar na escola, já que as professoras parecem se entregar mais. Consequentemente, as garotas absorvem muito mais dados sobre o que é ser mulher do que os garotos sobre o que é ser homem.

Histórias do coração

Uma professora com quem conversei recentemente ilustrou muito bem o efeito do exemplo. Na grande escola de ensino médio onde ela ensinava, as aulas de Arte, normalmente dominadas pelas garotas, passaram a ser uma escolha bastante popular entre os rapazes desde

8. Uma revolução na educação

> que um professor de forte personalidade assumiu as aulas. Ele era pai também – um pai carinhoso, positivo, um tanto severo. Era considerado um cara legal, porque tinha interesses que os alunos respeitavam. Organizava campeonatos de surfe – ele mesmo um bom surfista que apreciava a vida ao ar livre. Os três ingredientes (legal, carismático e homem) eram imbatíveis. Ele provavelmente poderia ensinar qualquer coisa aos garotos, até a fazer tricô!
>
> Resultado: uma súbita onda de criatividade e interesse pela escultura e pela pintura se espalhou pelos rapazes, e continuou por muitos anos, mesmo depois que ele mudou de escola.
>
> Ser um "cara legal" é uma coisa sutil, porque as crianças não se deixam enganar pelas aparências por muito tempo. Ser "legal" como adulto provavelmente significa não tentar ser. Quando eu estava no ensino médio, me lembro do jovem professor de Matemática que assumiu a turma. O sr. Clayfoote usava jeans e brinco (em 1965!) e dirigia um Monaro GT vermelho, um belo carro naquela época. Houve um breve período de lua de mel, em que ele era cercado pelos garotos no pátio da escola e povoava as fantasias de muitas garotas. Mas logo passou, porque os alunos não estavam interessados em alguém que só se interessava por si mesmo. Os jovens querem adultos que tenham o que dar a eles. Querem um tipo de pessoa razoavelmente generosa. No início do segundo período letivo, o sr. Clayfoote perdeu a carteira de motorista por dirigir alcoolizado e passou a ir para a escola a pé. Seu *status* de exemplo caiu um bocado.

Os exemplos adotados podem ser surpreendentes e diversos e devem também desafiar e ampliar as ideias do jovem. Na escola meio sombria do meu bairro, onde cursei o ensino médio nos anos 1960, lembro-me de alguns homens que foram incríveis exemplos positivos.

- Um professor de Matemática que visitava em casa os pais de todos os alunos, causando um sopro de renovação e interesse durante o ano. O objetivo das visitas era convencer os pais a nos deixarem frequentar a escola por mais tempo, de modo que tivéssemos uma

chance de "melhorar", em uma época em que concluir o ensino médio era considerado um objetivo um tanto pretensioso. Embora fosse rígido na sala de aula, foi ele quem nos acompanhou na primeira excursão longa que fizemos – uma experiência maravilhosa. Mais tarde, tornou-se um conceituado professor universitário.
- Um homem idoso, ex-soldado, que nos ensinou a gostar de poesia. Ele nos impunha Shakespeare, embora não constasse do currículo, mas também nos levava a passear, ensinava ioga e, muitas vezes, nos fins de semana, em vez de descansar, nos acompanhava em caminhadas e acampamentos.
- Um professor de Inglês, comunista radical, que nos preveniu sobre a escalada da guerra do Vietnã, nos contou sobre os avanços sociais da Rússia e nos fez ler *To kill a mockingbird* e *Shane*.
- Um jovem "fera" em eletrônica que passava a hora do lanche com a garotada, montando e consertando rádios.

Incluindo alguns professores de Educação Física que nos incentivaram para o esporte e algumas professoras excelentes, a escola realmente ampliou os nossos horizontes em relação ao que significa ser homem.

O QUE SÃO "DIFICULDADES DE APRENDIZAGEM"?

Quase todo mundo sofre algum tipo de dano no cérebro. Alguns danos são causados no momento do parto ou por alguma pancada na cabeça, herança genética, poluição (como o chumbo expelido pelo cano de descarga dos carros) ou pelo fato de os pais beberem e fumarem durante a gravidez. Os meninos são mais suscetíveis a sofrer danos no cérebro durante o nascimento, embora as razões para isso ainda não sejam conhecidas.

Um dano de pequenas proporções não é nada sério, a não ser que provoque problemas de aprendizagem. No passado, muitos problemas desse tipo passavam despercebidos porque a precisão na leitura e na escrita não era tão importante, mas hoje é uma real desvantagem. Felizmente, há muito o que fazer para ajudar.

As dificuldades de aprendizagem enquadram-se em quatro tipos principais e relacionam-se com o modo como a informação é processada. Para uma criança aprender, a informação tem de cumprir quatro etapas: entrar no cérebro através dos nervos sensoriais, organizar-se para fazer sentido, ser armazenada na memória e localizada, e trazida de volta quando necessário.

1. **ENTRADA.** É, por exemplo, ouvir bem o professor, conseguir entender o que é mostrado em um livro ou seguir instruções. Às vezes, o pai ou mãe se exasperam quando a criança não aprende, mas a culpa pode não ser dela. Pode ser que ela não ouça ou veja o mesmo que ouvimos e vemos. Veja só como um garoto descreveu seus problemas sensoriais.
"Eu detestava lojas pequenas porque a minha visão fazia com que parecessem ainda menores. Meus ouvidos também me pregavam peças, uma delas era mudar o volume dos sons à minha volta. Algumas vezes, quando alguém falava comigo, eu mal ouvia; em outras, o som das vozes parecia uma sucessão de estampidos de arma de fogo. Pensei que estivesse ficando surdo". *(Darren White).*

2. **ORGANIZAÇÃO.** Esta etapa envolve acrescentar a informação a outras que você já possui. Juntar tudo. Você pode ver o número 231 e registrar 213.

3. **MEMÓRIA.** Todo mundo conhece esta etapa. Quando você vai buscar a informação, ela está lá! Existe uma memória próxima e uma distante – e, às vezes, apenas uma delas fica prejudicada.

4. **EXPRESSÃO.** Você consegue se fazer entender quando fala, escreve ou desenha? O conhecimento está lá. Você consegue expressá-lo?

Caso suspeite que a sua criança tem problemas, procure a ajuda de um profissional. Muitas dificuldades de aprendizagem podem ser superadas ou, pelo menos, minimizadas. Quanto mais cedo começar o tratamento, mais fácil.

Histórias do coração

Uma escola que faz um bom trabalho com garotos

A equipe da Ashfield Boys High School, na periferia a oeste de Sydney, pretendia tornar a aprendizagem mais pessoal, acreditando que, quanto mais próximo fosse o relacionamento entre professor e aluno, mais eficaz seria a aprendizagem.

"Queríamos analisar o que havia de errado. Os garotos não estavam tão engajados no processo de aprendizagem nem tinham resultados tão bons quanto seria de se esperar", disse a diretora Ann King a Jane Figgis, do jornal *Sydney Morning Herald*.

Então, a escola reestruturou drasticamente as classes de sétima e oitava séries. "Em vez de terem de dez a 13 professores, os garotos agora têm cinco, que não apenas dão aulas, como são responsáveis pela disciplina, pela segurança e pelo contato com os pais".

A duração das aulas aumentou dos 40 minutos usuais para 80 ou cem minutos depois que se concluiu que os alunos recebiam conhecimento em pequenas parcelas desconexas vindo de professores que não se comunicavam.

"Funcionou tremendamente bem", disse a sra. King. "Várias avaliações demonstram que os alunos estão mais ativamente engajados na aprendizagem e alcançando resultados melhores. O real valor, porém, de ensinar a grupos que passam o dia de aula e o ano letivo juntos é a possibilidade de estudantes e professores desenvolverem relacionamentos colaborativos muito mais sólidos".

Os relacionamentos são a chave para o ensino nas últimas séries do ensino fundamental. "Alunos e professores têm de aprender a ouvir uns aos outros, a gostar uns dos outros, a confiar uns nos outros. O desafio é necessário, mas só pode acontecer quando todos se sentem à vontade e seguros no relacionamento", disse a sra. King.

8. Uma revolução na educação

Terapia Ocupacional

Aqui está um exemplo de como um menino superou seu problema de expressão: a escrita.

David, de oito anos, tinha dificuldades em escrever. Nessa idade, não é raro os meninos terem uma letra ruim, mas os pais de David estavam preocupados porque ele não havia apresentado progresso algum em dois anos. Sabiam que David era uma criança brilhante, mas temiam que, por causa da escrita ruim, os professores pensassem que era pouco inteligente.

A maneira normal de melhorar a escrita é por meio de muito exercício. Começar fazendo grandes curvas e formas, ir diminuindo o tamanho até chegar às letras separadas, construindo gradualmente a habilidade de escrever. Mas os pais de David conversaram com alguém que sugeriu fosse tentado também um outro recurso – Terapia Ocupacional.

Kerry Anne Brown, uma terapeuta ocupacional com experiência no tratamento de crianças com dificuldades de aprendizagem, concordou em fazer uma avaliação do caso de David. Ela descobriu que o menino tinha coordenação deficiente em toda a parte superior do corpo e não apenas nas mãos. Na verdade, para ele, era difícil escrever porque não se sentava direito nem posicionava os braços com firmeza.

Era uma condição herdada, causada por problemas no parto ou adquirida por posterior falta de exercício? Quem sabe? A função da terapeuta ocupacional é fazer o corpo funcionar da melhor forma possível, qualquer que seja a causa.

David começou os exercícios de equilíbrio, rotação e salto para fortalecer os músculos dorsais e estruturar a coordenação das costas, dos ombros e braços. Isso exigiu um programa de seis meses com cerca de meia hora de exercício por dia. Felizmente, eram exercícios divertidos, e pai e mãe colaboravam. Às vezes, as partes mais difíceis deixavam David mal-humorado, mas vencer a frustração é parte de toda aprendizagem. Seus pais o elogiavam e animavam, e ele não desistiu. Passados cerca de seis meses, com os bons resultados alcançados, puderam dar por encerrado o programa.

Agora, três anos mais tarde, David ainda tem de "se determinar" a escrever bem, relaxando o corpo e prestando atenção. Mas, hoje, sua escrita é boa para um garoto da idade dele. Embora possa usar o computador para escrever, ele gosta da escrita criativa e, recentemente, foi considerado o melhor aluno da escola de ensino fundamental onde estuda.

Os pais fazem acontecer.

Dificuldades de aprendizagem exigem duas coisas: tempo e recursos, e é preciso lutar para conseguir os dois. As crianças, cujos pais se dedicam a elas e reservam-lhes tempo, sempre se saem melhor. É preciso determinação: procurar um especialista, recusar-se a ser ignorado ou enganado e pressionar o sistema escolar para conseguir ajuda. Converse com outros pais, e mobilizem-se para que uma providência seja tomada.

Os recursos incluem equipamentos ou programas especiais, professores especializados, aulas e exercícios em casa. Encontros com pais cujos filhos tenham o mesmo problema que o seu podem ajudar muito. É ótimo receber informações e apoio emocional de quem realmente entende.

Uma advertência: pode acontecer de você encontrar escolas que não se interessem em receber alunos com problemas de aprendizagem. Essas escolas estão mais interessadas em estudantes de elite, que garantam a média acadêmica. A criança com dificuldade em aprender pode ser deixada de lado ou pressionada a procurar outro lugar para estudar. Escolas cuidadosas sempre se esforçam ao máximo, e você não ia querer ver a sua criança frequentar uma escola que não se importa com os alunos, não é?

EM POUCAS PALAVRAS

As escolas podem ser um ótimo lugar para os meninos se fizerem isto:

8. Uma revolução na educação

1. Deixar que os meninos entrem para a escola um ano mais tarde que as meninas, quando sua coordenação motora fina estiver pronta para usar lápis e papel, já que as meninas desenvolvem as habilidades antes deles.
2. Procurar contratar jovens professores do sexo masculino mas que tenham maturidade, bem como envolver homens da comunidade que tenham o tipo certo para dar instrução e apoio.
3. Reestruturar o ensino, de modo que se torne mais concreto, energético, físico e desafiador.
4. Concentrar-se nas áreas em que os garotos têm mais dificuldade, especialmente leitura e escrita, desenvolvendo programas intensivos específicos para eles desde a primeira série.
5. Construir um bom relacionamento pessoal com os garotos por meio da organização de turmas menores e de menos trocas de professores no ensino médio, de modo a atender à necessidade da figura do mentor.
6. Estar alerta para o fato de que comportamento problemático pode ser sinal de dificuldade de aprendizagem e investigar isso o mais rápido possível.

Capítulo 9

Os garotos e o esporte

O jogo de críquete do Natal

Todo Natal, a família da minha mulher – cinco irmãs com os maridos, os filhos e os avós das crianças, além de um ou dois "extras" – vem dos locais mais distantes para se reunir na Tasmânia. Gosto de ver como os primos instantaneamente retomam a intimidade, como se não se tivesse passado um ano desde que se encontraram pela última vez.

Depois do almoço, nos preparamos para o jogo de críquete na área dos fundos da casa. Faz 20 anos que vejo isso, desde que as crianças mal conseguiam segurar o bastão e me encanta ver como os times cresceram!

O mais incrível nesses jogos anuais é o modo como os homens, normalmente quietos, parecem se empolgar com os lances do jogo. É tudo voltado para as crianças e o ambiente é tão pouco competitivo que ninguém se lembra do placar.

Um garotinho tenta bater. Os homens elogiam e estimulam, se debruçando em direção a ele, como que desejando sucesso. Outro menino de oito anos levanta demais o braço, lança longe da linha, e os mais velhos gritam "Boa! está melhorando!". Instruções são cochichadas. Alguém se apressa em corrigir a pegada. Mesmo sem marcar ponto, outra criança continua no jogo.

Mas nem tudo é luz e paz. Dois meninos de dez anos estão naquele estágio de obsessão pelas regras. Há uma discussão; um dos meninos grita desaforos. O pai o chama de lado para uma conversa cujo fundamento é "Aqui, o que importa são os sentimentos. É só um jogo". Difícil de engolir para um garoto de dez anos. Esporte tem muito a ver com formação de caráter.

E o jogo continua. Debaixo do sol quente, sou transportado no tempo, pensando em como os mais velhos aprenderam aquele jeito de agir com as crianças. Uma tradição de cuidado com os pequenos que vem das próprias raízes da história humana. O esporte pode ser um modo imbatível de cuidar de diversas gerações, ensinar-lhes e reuni-las.

Esporte: uma faca de dois gumes

Para a maioria dos garotos, o esporte tem um papel importante na vida. Mas pode ser para o bem ou para o mal. O esporte contribui para a integração, constrói o caráter, eleva a autoestima e melhora a saúde. Ou pode alterar o corpo, oprimir a mente, ensinar valores negativos e levar a uma deprimente sensação de fracasso.

Em toda a nossa História, vemos os seres humanos praticando esportes. Formas rudimentares de futebol há muito são praticadas. Na maior parte das culturas havia corridas. Os romanos tinham os gladiadores, e os gregos, os Jogos Olímpicos. E, embora não seja uma prerrogativa masculina, o esporte atrai especialmente os garotos, talvez como válvula de escape para sua energia explosiva e oportunidade de se sair bem em uma atividade por seus próprios méritos.

Em alguns países, o esporte é virtualmente uma atividade sagrada. Nesses países, nenhuma religião se aproxima da paixão que o esporte provoca, do número de adeptos ou do poder de inspiração. Então, para qualquer um que tenha um filho homem, o esporte é um grande desafio e um grande interesse. Primeiro, vamos ver suas vantagens.

Contribuir para a aproximação entre jovens e adultos

O esporte, sendo um interesse comum, oferece ao menino a oportunidade de se aproximar do pai e de outros jovens e adultos. É um assunto que pode ser discutido por completos estranhos – inclusive pais e filhos! Vários amigos meus disseram: "Se eu e o meu velho não falássemos de esporte, não teríamos assunto algum para conversar".

O esporte é uma maneira de se integrar à comunidade. Se uma criança imigrante chega a um país onde o esporte é mania nacional, logo alguém lhe pergunta: "Por qual time você torce?", como se de onde ela vem os times fossem os mesmos!

Um lugar seguro para demonstrar afeto

Um amigo meu foi convencido a entrar para uma equipe que praticava críquete em ambiente fechado, embora não fosse muito bom no esporte. Para usar suas próprias palavras, o que esperava era "se aborrecer no meio daqueles contadores de vantagem". Mas se surpreendeu ao descobrir que não era nada daquilo. Os homens eram incrivelmente afetuosos entre si. Havia verdadeira satisfação pelo esforço, troca de conselhos e informação, atenção e, por meio de uma implicância bem-humorada, afirmação da energia e habilidade dos mais jovens e da experiência e perspectiva dos mais velhos. O que surpreendeu o meu amigo foi que ele conhecia alguns daqueles homens na vida em família e no mundo dos negócios, *e em nenhuma outra situação eles agiam assim*. De algum modo, a estrutura e os rituais da equipe faziam com que cada um deles fosse um ser mais completo e mais feliz. Meu amigo apreciou imensamente a experiência.

Lições de vida

Como o esporte é a principal oportunidade para homens e meninos interagirem, é comum que os mais jovens tirem daí as atitudes e os valores que carregam para a vida. Desde a mais tenra idade, quando ainda mal conseguem segurar um bastão ou chutar uma bola, os menininhos aprendem muitas lições importantes.

- Saber perder: não chorar, bater em alguém ou jogar a bola longe.
- Saber ganhar: agir com modéstia, evitando ficar muito "cheio de si" ou tripudiar sobre o perdedor.
- Fazer parte de uma equipe: jogar cooperativamente, reconhecer suas limitações e apreciar o esforço dos outros.
- Dar o máximo de si: treinar mesmo quando cansado e procurar sempre fazer o melhor.
- Trabalhar por um objetivo a longo prazo e fazer sacrifícios para alcançá-lo.
- Reconhecer que quase tudo na vida melhora com a prática.

Alguns pais fazem de tudo para que seus filhos pratiquem esporte. Os benefícios são claros: diversão, condicionamento físico, ar puro, formação do caráter, amizade e sensação de realização e integração. Para as crianças também!

Mas, falando sério, a crença de que "esporte é bom" é cada vez mais posta em dúvida. O esporte está mudando, e nem sempre para melhor. Existem riscos para o corpo e para a mente, e os pais têm de orientar com ainda mais cuidado que a geração anterior. Vamos ver por quê.

Exemplos negativos e a cultura do "atleta"

O esporte e seus heróis são uma obsessão para muitas sociedades. Imagine se alguém sugerisse dedicar os últimos dez minutos do noticiário da noite à carpintaria ou às coleções de selos! A imagem do esporte invade todos os espaços, de tal modo que hoje em dia todo mundo usa roupas esportivas.

Nós, que somos pais, queremos usar o poder do esporte para fazer dos nossos filhos pessoas melhores. Mas o resultado pode ser justamente o contrário. Especialmente nas equipes masculinas, crianças impressionáveis recebem todo tipo de mensagem pouco saudável vinda de homens que nunca cresceram.

Onde é mais provável que você veja demonstrações explícitas de violência, egoísmo, irritação, crueldade sexual, abuso de álcool, racismo e preconceito contra homossexuais? Em qualquer estádio esportivo! Um menino pode aprender a ser forte e corajoso jogando *rugby* ou futebol, mas também pode aprender a abusar da bebida, a ser bruto e a assediar as mulheres.

Os líderes esportivos – técnicos, treinadores, pais e juízes – são como os mais velhos de uma tribo. Precisam lembrar que esporte é jogo, deve servir aos jogadores, e não os jogadores servirem ao esporte ou ao patrocinador. Se o esporte não tiver a função de preparar melhor os nossos jovens para a vida, é melhor irmos pescar!

A ARMADILHA DO TALENTO

No esporte, o fracasso é um problema, mas o sucesso também pode ser. São poucos os garotos, hoje em dia, que recebem atenção suficiente dos homens adultos, mas, se um deles se revela uma promessa no futebol, no críquete ou no tênis, imediatamente desperta interesse! O pai e o treinador se desmancham em elogios, e ele começa a subir a escada do sucesso no esporte. Os homens encontram um veículo para seus sonhos; o garoto consegue a aprovação que tanto deseja.

Mas e se o garoto se machuca? Se alcança o limite de suas possibilidades naturais? Se o estresse o faz entrar pelo caminho das drogas? Ou se os treinamentos são excessivos? A aprovação desaparece. Os mais velhos demonstram seu desapontamento. O elogio vira rejeição. Milhares de vidas de jovens foram destruídas ou sufocadas assim. Quanto mais talento a criança tiver, mais importante é os pais a protegerem contra "o abuso do esporte" – o uso de seu sucesso para gratificação dos adultos.

Histórias do coração

Que treinador infernal!

Jeff tinha 14 anos e era bom em *rugby*. Como a escola onde estudava não tinha um time para garotos dessa idade, seu pai o levou ao clube local para que fizesse parte da equipe juvenil. A equipe havia chegado à final por três anos seguidos, mas nunca vencia a última partida.

Para superar isso, foi contratado um técnico especial: um ex-jogador de futebol americano, grandão e agressivo, para treinar os jogadores da linha. Aproximando-se a final, o pai de Jeff, Marcus, foi observar da lateral o que o novo técnico dizia aos garotos, e ficou chocado com o que ouviu.

— Da primeira vez que os jogadores do outro time vierem, quero que batam no rosto deles.

Um dos meninos pensou que talvez não tivesse ouvido direito.

— Bem, se eles baterem primeiro, você quer dizer? – ele gaguejou.

— Não, maldito idiota [*o treinador sempre falava assim*], você bate antes que eles tenham chance. Entendeu?

Marcus chegou a tremer de raiva. Tinha de pensar melhor. Aquela não era a ideia que ele fazia de esporte. Naquela noite, ligou para um

> amigo que treinava um time de *rugby* e confirmou: o que o treinador tinha mandado a equipe de seu filho fazer era contra as regras e podia levar a uma suspensão – estava completamente errado!
> Marcus percebeu que tinha de esclarecer tudo com o treinador e foi procurá-lo, não sem um certo receio, já que o homem era um bocado grande. O treinador não deu muita importância e respondeu rindo:
> – Aqueles fracotes não fariam mesmo o que eu disse. Só estou tentando que eles fiquem mais durões, aquelas florzinhas! Eles não fariam!
> Então, o treinador dava uma ordem que não era para ser cumprida, estava disfarçando por ter sido apanhado em um erro ou usando dois pesos e duas medidas? Qualquer que fosse a resposta, o pai de Jeff decidiu que aquele não era um bom lugar para um garoto aprender as regras da vida. Pai e filho conversaram, e Jeff disse que preferia deixar a equipe. No ano seguinte, ele passou a jogar no time da escola, em que o treinador era um tipo de pessoa melhor.
> "Quando penso no assunto", Marcus me contou mais tarde, "vejo que o time nunca teve espírito: os treinadores viviam humilhando os garotos, não havia sentimento de grupo, elogios, socialização nem prazer. E apesar de terem chegado a três finais, sempre se sentiram verdadeiros fracassados".
> Ainda bem que o pai de Jeff enxergou o problema e tomou uma posição.

COMO FUNCIONA O EXEMPLO?

É da natureza do jovem escolher um modelo e absorvê-lo completamente. Se o modelo escolhido for um ótimo jogador de basquete, o garoto vai tentar imitá-lo não apenas no sucesso no esporte, mas na moral, nas piadas, nas atitudes e no estilo de vida. Essa é a base da campanha de todo patrocinador e de toda indústria quando juntam esporte e propaganda.

Se uma escola quer convencer os alunos a não fumar, a usar preservativo e a conservar o ambiente, chama um esportista. Se uma empresa quer inspirar seus representantes de vendas a vender mais programas de

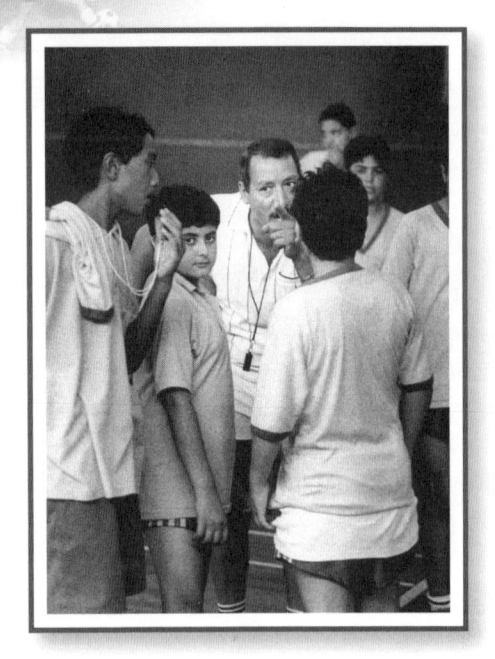

Contabilidade, por exemplo, convoca um iatista ou outro praticante de esporte. Chega a parecer engraçado, mas é assim que se mede a masculinidade em nossa sociedade – e funciona. Quando toda uma cultura começa a acreditar que acertar uma bola de golfe faz de você um grande homem, estamos em apuros. E podemos ter a certeza de que os Jogos Olímpicos vão continuar a alimentar essa ideia.

Na Europa – onde faz mais frio e as pessoas passam mais tempo dentro de casa – o esporte não é a única forma de recreação. Existem diversas maneiras de "ser homem". Um garoto pode admirar e buscar exemplo em um músico, um artista, um artesão, um cineasta ou um pescador.

Na Austrália, por exemplo, ou você é um esportista ou não é ninguém. Isso não é nada bom. As opções disponíveis para os garotos em outras partes do mundo – e os exemplos que podem seguir – são muito mais variadas. Esporte é bom, mas não é para todos.

E quanto aos ferimentos?

Você diria que o esporte é saudável? De acordo com os números, não. O pesquisador de saúde Richard Fletcher concluiu que, no caso de alguns esportes, é mais saudável ficar em casa e assistir pela televisão!

Muitos atletas e esportistas consagrados chegam aos trinta anos com sérios e dolorosos problemas físicos, que vão de danos ao cérebro a articulações e tendões prejudicados por choques, treinamento excessivo ou esforço exagerado durante as competições. As entorses e o esforço feito no esporte não raro levam ao surgimento de artrite na meia-idade. Cada vez fica mais claro que certos esportes oferecem risco para as crianças.

O verdadeiro problema é a competição. Quando o ambiente é de competitividade excessiva, o atleta é levado a assumir riscos, a partir para agressões e a ultrapassar suas limitações físicas. *A culpa é dos adultos.* As crianças, de modo geral, preferem se divertir; só se tornam fanáticas quando nós as fazemos assim.

Para dar um exemplo: apenas em Sydney, mais de 2.000 crianças por ano procuram o setor de emergência por causa de acidentes durante a prática de esportes. Os números não incluem aquelas que são levadas a centros médicos, fisioterapeutas etc. Cerca de 400 desses casos podem ser considerados sérios, envolvendo hospitalização e tratamento a longo prazo. O contato corpo a corpo causa o maior número de ferimentos, sendo que o futebol americano, o futebol de campo, o basquete e o críquete encabeçam nessa ordem a lista dos mais perigosos.

As lesões sofridas por crianças que praticam esporte nas escolas incluem entorses, estiramento muscular, contusões e fraturas. Nos últimos anos, foi registrada a morte de garotos que praticavam *rugby*, assim como lesões na cabeça e na coluna. E a incidência de ferimentos durante a prática de esporte aumenta com a idade; na média, entre doze e dezesseis anos, aumenta *sete vezes*. (Testosterona em ação!)

Mas, e quem não é bom em esporte algum?

Um grande problema com o esporte para crianças, à medida que vai se tornando mais competitivo, é que, a menos que tenham talento, elas ficam no meio do caminho. Eu, quando criança, adorava futebol. Meu pai me apresentou ao time local, mas eu não fazia parte dos bons e nunca joguei uma partida. Como não sabíamos nada a respeito de chuteiras, levei o calçado errado. Foi humilhante. A não ser pelas brincadeiras de linha de passe na escola, fiquei de fora.

Outro problema com o esporte é a pressão dos pais. Se o pai é um grande esportista, ou pensa que é, o filho está em maus lençóis se for desajeitado ou do tipo não atlético. Um pai seguro e confiante se orgulha do filho que é um bom dançarino, um pintor ou uma "fera" da informática. Um pai frustrado pode transformar isso em um problema. E existe ainda a possibilidade contrária: o pai, por não se interessar, pode ser duro com o filho que é louco por esporte.

O importante é procurar um terreno comum onde *ambos* encontrem prazer. Não se transforme em escravo, acompanhando os seus filhos em esportes que não aprecia, a não ser que eles gostem realmente, e você perceba que vale a pena. Procure atividades que interessem a ambos. Os pais de hoje em dia gastam dinheiro demais pagando para que outros treinem e eduquem seus filhos. Além do mais, esses estranhos em geral não têm ligação afetiva com seus pupilos e dão pouco de si. Às vezes, é melhor continuar procurando a melhor atividade para vocês. O tempo passado em uma quadra de basquete, uma quadra de vôlei no terreno de casa ou numa pescaria é uma excelente oportunidade para uma boa conversa e para o simples prazer de aproveitar a companhia um do outro.

Em poucas palavras

1. O esporte pode trazer enormes benefícios para as crianças. Proporciona exercício, diversão, desafios e integração. E, em especial, é fonte de interesses comuns entre pais e filhos, e entre meninos e adultos em geral.

2. O esporte é uma grande oportunidade de formar o caráter, aprender sobre a vida e desenvolver a masculinidade.
3. Infelizmente, o esporte está mudando para pior. A cultura de certos esportes encoraja aspectos negativos, como as agressões, o egoísmo, a crueldade sexual e o abuso de bebidas alcoólicas. E a ideia de "vencer a todo custo" está tomando o lugar do espírito esportivo e do prazer de jogar.
4. Quando a competição e a vitória se tornam tão importantes, é perigoso ter talento, porque a vida fica desequilibrada. O excesso de competitividade pode levar a lesões cujas consequências se estendem por toda a vida.
5. A ênfase na competição exclui os menos talentosos. As pesquisas demonstram que cada vez mais garotos param de praticar esportes.
6. O esporte deve ser uma atividade participativa, segura, não elitista e divertida para todos. Os garotos precisam do esporte. Não devemos permitir que o esporte seja prejudicado por interesses comerciais e líderes imaturos.

Capítulo 10

Um desafio para a comunidade

O espírito de um garoto é grande demais para caber apenas na família, e seus horizontes são mais amplos do que aqueles que a família poderia oferecer. Pela metade da adolescência, o garoto tem o ímpeto de saltar para o futuro, mas ele deve ter para onde saltar, e, ao chegar lá, é preciso que encontre alguém de braços abertos para recebê-lo. Isso significa criar elos com a comunidade para ajudar os garotos.

Se nós, pais, estivermos cercados pela comunidade, podemos ter a certeza de que outros adultos, seja individualmente ou como grupo organizado, apoiem os nossos filhos adolescentes no sentido de valorização e integração. Sem a comunidade – redes de adultos comprometidos com a consciência de cuidar dos filhos uns dos outros –, a adolescência pode falhar em ser um estágio na vida.

A transição para a idade adulta exige um esforço concentrado. Mas como se faz? Quais são os métodos e quanto tempo leva? Quais são os elementos principais? Alguns são bem práticos: um ouvido atento, transmissão de conhecimento, expansão para novos horizontes de pensamento e ação, cuidados e proteção contra o perigo. Outros são mais "mágicos" e espirituais.

Para ilustrar e dar a este livro um final adequado, escolhi três histórias. Embora diferentes, todas tratam da ação da comunidade para transformar meninos em homens: uma partida esportiva, uma escola da região pobre da cidade e um acampamento em uma ilha. Vamos ler.

Derrota, vitória e agradecimento

A partida anual entre duas grandes escolas de Sydney, St Joseph's College e Riverview, sempre tomou proporções épicas na mente daqueles que se interessam por *rugby*.

Os resultados do St Joseph's contra todos os adversários eram de tal modo impressionantes, que era praticamente impossível imaginá-lo perdendo.

Mas o ano de 1996 foi diferente. O Riverview sabia que tinha um time capaz de conseguir o impossível. Então, sob um claro céu azul, houve um momento especial na história. À medida que o jogo avançava, ficava evidente para os 15.000 ou mais parentes e ex-alunos, que formavam a plateia, que o impensável estava para acontecer: o St Joseph's ia perder. Apesar das valentes tentativas dos jogadores do St Joseph's no segundo tempo, aumentando o placar, o time do Riverview manteve a liderança. Logo, o último apito decretou o fim do longo reinado do St Joseph's.

O jogo acabou. Os vencedores socavam o ar e gritavam, comemorando. Então, começou a acontecer algo de poderoso e especial. A equipe perdedora formou um círculo no centro do campo, deu os braços e ficou ali, de pé, como que em oração, absorvendo não somente a perda, mas alguma coisa mais, talvez a soma de esforços, a dificuldade do momento. E começou a verdadeira mágica. Como uma resposta que viesse de todo o estádio, ex-alunos e pais foram em direção ao centro do campo e se deram os braços em volta dos garotos. E centenas de homens se uniram em um silencioso e poderoso círculo de agradecimento masculino.

O público que lotava as arquibancadas permaneceu em seus lugares, olhando apenas. Naquele momento, ganhar ou perder deixou de ter qualquer significado. Ficou apenas o senso de união pelo esforço, de se entregar a alguma coisa maior, tão antigo quanto a caça ao mamute, a defesa da cidade ou os milhares de outros *bons* motivos que aproximaram os homens. Foi a celebração da glória da juventude.

Nenhum dos que fizeram parte daquele círculo vai esquecer. Cada um deles se fez mais homem por causa daquele dia.

Homens em ação

Uma grande empresa da Nova Zelândia queria fazer alguma coisa pela comunidade local. Não havia aí nenhum traço de altruísmo; apenas bom senso empresarial. Nesses casos, o costume é fundar um centro para jovens ou construir um parque. Mas os empresários foram convencidos por alguma "boa alma" a adotar a escola que ficava na área pobre que rodeava a fábrica e a contribuir não com dinheiro, mas com tempo.

Foi oferecida a todos os empregados a oportunidade de ir até a escola e prestar ajuda a qualquer criança que tivesse dificuldade em Matemática, Leitura ou coordenação motora. Para isso, disporiam de duas horas por semana dentro do horário de trabalho. A escola coordenaria o programa e a empresa forneceria o pessoal.

Como resultado, todas as crianças com dificuldades passaram a receber duas visitas por semana, sempre do mesmo empregado da empresa. O efeito do programa foi tão significativo que, ao final de dois anos, a classificação da escola na avaliação nacional melhorou sensivelmente. E não foi só isso; pense na autoestima, nas vantagens de ter um mentor a longo prazo e de mudar para um estilo de vida positivo.

O que aconteceria se pegássemos as energias dos colaboradores de associações e clubes de serviço ou outras entidades e oferecêssemos *contato humano* em vez de, ou além de, dinheiro para tornar mais ricas as vidas dos garotos? Não dá para prever aonde esse tipo de envolvimento poderia chegar. O contato com crianças com problemas muda a nossa perspectiva. Todos se beneficiam. Quem sabe não daria certo com uma organização a que você pertença? Esse é o tipo de atitude que *pode* mudar o mundo.

Iniciação

É outono em uma ilha ao largo do belo litoral de Victoria, na Austrália. Doze homens, com suas mochilas e casacos, e nove adolescentes entre 14 e 19 anos pegaram a barca dois dias atrás para chegar até a ilha. No momento, esperam o transporte que vai levá-los de volta. Estão tão tranquilos quanto a água cristalina que cerca a área de embarque.

Sete dos meninos estão acompanhados dos pais; dois, não. Alguns dos homens são casados, dois são separados, e um é pai solteiro.

No dia anterior, foram até uma cabana afastada e lá prepararam a comida, fizeram explorações, se divertiram e nadaram em uma praia deserta varrida pelo vento. À noite, pegaram seus casacos e, depois de caminhar no escuro, se reuniram em torno de uma fogueira já preparada para eles. Os garotos, ansiosos e fazendo brincadeiras, ficavam querendo adivinhar o que iria acontecer.

Junto ao fogo, cada um dos 12 homens ficou de pé e falou da própria vida. Alguns falaram com humor, outros hesitantes e emocionados. Depois disso, cada pai tornou a falar, desta vez a respeito do filho: de suas qualidades, das lembranças especiais e do quanto o amava. Os garotos que não estavam acompanhados dos pais ouviram as palavras de um outro homem que estava lá para representá-los – acrescentando uma mensagem enviada pelo avô ou pelo pai que estava na prisão.

Pais elogiando abertamente os próprios filhos! Havia algo de único nessa experiência, algo que levava lágrimas aos olhos de muitos deles à meia-luz das chamas. Mas eram lágrimas de alegria e encantamento, completamente diferentes de lágrimas de tristeza ou de vergonha.

Depois que os homens falaram, cada garoto respondeu falando de si – o que fizeram com surpreendente eloquência –, contando sobre sua vida, seus valores e esperanças.

Vários homens leram poemas. Foi contada uma história especial, que juntava elementos das culturas aborígine e anglo-céltica. Cantaram, comeram e, pouco depois da meia-noite, caminharam de volta para o acampamento.

No dia seguinte, dividiram-se em pequenos grupos e conversaram sobre os planos dos garotos para a vida e suas metas para o ano seguinte. Essas metas foram anunciadas ritualmente em um encontro final com todo o grupo. Um garoto queria voltar para a escola e terminar o ensino médio; outro, arranjar um emprego; outro, deixar de usar drogas; muitos queriam reparar erros que tinham cometido; um pretendia arrumar uma namorada; e outro, ainda, se "entender com a mãe".

Os adultos ofereceram apoio: um prometeu arranjar um lugar para o que queria estudar; outro disse que faria companhia até Melbourne para que um menino se desculpasse com a avó de quem tinha furtado dinheiro. O grupo combinou se encontrar dali a um ano, para reafirmar seu cuidado com os jovens.

As estrelas formavam um enorme manto sobre eles quando voltaram à terra firme, onde cada um tomaria seu caminho.

Algumas culturas – judaica, islâmica e outras – preservaram processos sagrados de iniciação para introduzir os garotos na idade adulta. Existem histórias e tradições aborígines que não se perderam e podem ser de grande valor. Embora alguns aspectos da nossa sociedade estejam em processo de desintegração, estamos cercados de fragmentos da sabedoria das várias culturas de que viemos. Só precisamos encontrar o caminho. Para os nossos jovens, o que mais importa é que fizemos o esforço.

Histórias do coração

Como o nascimento de um filho me transformou...

Artes marciais me agradam tanto quanto tratamentos dentários. Esta semana, porém, enquanto observava meu filho pequeno apertar uma faixa branca em torno da cintura magrela e reunir-se aos colegas na fila, para aprenderem a lutar, senti meu coração se encher de amor. Ser mãe de um menino me fez ver o mundo com outros olhos, da antipatia pelas Artes Marciais a uma relação fraternal instável e, possivelmente, à minha opinião sobre os homens.

Tenho dois irmãos, mas o de idade mais próxima à minha era um verdadeiro "animigo" – amigo e inimigo ao mesmo tempo. De início, nos entendíamos muito bem, mas conforme fomos crescendo, as brincadeiras sempre acabavam em gritaria e violência. Eu me sentia incomodada pela exuberância e energia do meu irmão, bem como pelo que considerava agressividade contra mim. Ao chegar ao ensino médio, passei a frequentar uma escola feminina. Os rapazes se tornaram um verdadeiro mistério. E, mais tarde, uma obsessão. Desde então, venho aprendendo muito sobre eles, com os amigos e com meu marido, mas o crescimento de um filho me proporcionou uma compreensão fundamental, visceral e emocional.

Meu filho lembra bastante o irmão com quem eu tanto brigava. Seu jeito de andar, falar e agir me leva de volta ao tempo em que eu tinha nove anos. Eu me vejo na minha filha mais velha, quando ela bate a porta na carinha suplicante do irmão. Sinto tão profundamente a dor da rejeição, que me dá vontade de recuar no tempo, para pedir desculpas ao tio dele. Agora entendo o que acontece do outro lado da porta. Entendo a doçura e a vulnerabilidade do garoto brigão.

Enquanto minha filha vive em um mundo imaginário criado por ela, meu filho tem os pés firmemente presos ao chão. Vejo o corpo dele em busca incessante de emoção, movimento e contato físico; daí tanto agarramento, tantos abraços, golpes e socos nos amigos e na família. Eu ficava furiosa com o meu irmão, por apanhar todos os gravetos que encontrava e destruir todos os nossos brinquedos; hoje, no entanto, vejo meu filho como uma entidade física que usa o corpo para explorar o mundo. Percebo que minha filha sofre as consequências, mas sei que ela responde de acordo com o que sente. Talvez eu tenha apagado da memória os meus atos de violência.

A necessidade de sensações físicas chega a despertar meu filho, e quase todas as noites ele corre para o nosso quarto. Eu acordo sentindo no rosto o roçar de seu rostinho macio e o sopro de sua respiração.

10. Um desafio para a comunidade

Ele me ensinou também sobre a comunicação não verbal dos meninos. Embora seja normalmente um garotinho tagarela, meu filho não precisa dizer tudo. Na verdade, quando ele se emociona, parece que a parte verbal de seu cérebro se fecha. A primeira frase completa que disse, aos três anos de idade, foi: "Mamãe, pare de falar!" Às vezes, menos é mais.

Enquanto minha filha me engana com relativa facilidade, meu filho se trai quando faz travessuras: uma contração na boca, um rápido movimento com os olhos de longos cílios, um arquear de ombros. Se eu perguntar "O que foi que você fez?", a resposta pode ser "Nada, mas não olhe embaixo da minha cama". Quando então descubro o brinquedo ou o diário que tomou da irmã às escondidas, sua expressão de surpresa demonstra que ele se admira da própria incapacidade de disfarçar.

As paixões do meu filho são carregadas de pureza. Ele adora música, e seus colegas também. Eles dançam com alegria, seguindo um ritmo primitivo, intenso, belo e espiritual. Espero que nunca se acanhem nem assumam a personalidade de garotinhos australianos bem-comportados. As meninas cantam usando escovas de cabelos como microfone e repetem passos aprendidos nas aulas de dança; para os meninos, porém, a música representa a ligação com o próprio corpo e com os colegas. Eles absorvem o som de maneira natural, poderosa e completa. Encontram-se no ritmo, e seus corpos se encontram no espaço.

Vejo as amizades do meu filho se desenvolverem maravilhosamente na pista de dança e nas Artes Marciais. Agora entendo a necessidade visceral que os meninos sentem de pertencer. A simples menção da palavra "gangue" sempre me causou arrepios, mas hoje entendo o desejo de estarem juntos. Sua turma se sente confiante e segura, na união, e eles se amam de verdade.

Certa vez, ouvi de um educador que o humor facilita a aproximação com os meninos. Ele está certo. Meu filho não precisa falar muito, mas precisa rir com frequência. Ele possui uma fabulosa visão dos aspectos ridículos da vida, embora nem sempre faça questão de entendê-los. Percebo a formação de um senso de humor masculino e valorizo isso, tanto quanto as lágrimas de tristeza. Talvez esta geração de jovens, que não ouve tanto quanto as gerações anteriores conselhos do tipo "homem não chora", continue a mostrar sua vulnerabilidade.

Ao ouvir as gargalhadas gloriosas do meu filho e vê-lo enfrentar os rigores da escola e as complicações do mundo, sofro por seu espírito

> vulnerável. Agora entendo a delicadeza do meu irmão, seu coração ferido e sua bondade. Com mais facilidade, enxergo o menino que existe no homem. Para completar, meu irmão tem uma filhinha. É bonito observar como inicia a jornada que leva ao entendimento do que há do outro lado.

10. Um desafio para a comunidade

Agradecimentos

Quando eu era pequeno, minha mãe sempre conversava comigo e me explicava as coisas enquanto dávamos longos passeios pela cidade. (Eu ia no carrinho!) Hoje, ganho a vida com as palavras e adoro o vento em meus cabelos. Portanto, obrigado, mamãe.

Meu pai era bom de brincadeira. Tivemos um belo começo nas colinas úmidas e verdejantes e nas praias varridas pelo vento de North Yorkshire.

A Austrália foi boa para mim: bons amigos na escola, professores interessados e patrões que me deram a chance de experimentar coisas novas. Embora, como a maioria dos jovens, eu tenha passado por momentos de dor e dúvida, sempre encontrei quem me tratasse com bondade e ajeitasse as coisas.

Tive sorte em conhecer Shaaron. Sem ela, não teria sido tão bom pai, terapeuta e professor. Obrigado, Shaaron, por tudo, especialmente pelas crianças. Como sempre, as palavras não são suficientes para agradecer.

Judi Taylor tomou como missão pessoal a organização dos meus seminários em Sydney, e, juntos, alcançamos dezenas de milhares de pessoas. Judi e seu marido Paul me deram ajuda, informação e estímulo para este livro. Paul me contou a inspiradora história do jogo de futebol de Joey.

Playgroups Association da Austrália, TREATS de Hong Kong, Parent Network da Inglaterra, Joachim Beust de Munique, Marcella Reiter, People Making Books de Melbourne e muitos grupos locais patrocinaram maravilhosas excursões e seminários. Com isso, pudemos reunir informações e ideias para este livro.

Rex Finch é um editor de princípios, gentil e dinâmico, amigo de longa data, e foi capaz de trabalhar comigo de modo criativo, o que só fez melhorar os resultados. Dr. Peter West, Peter Vogel, Peter Whitcombe, Paul Whyte e o Dr. Rex Stoessiger partilharam generosamente seu conhecimento. Muito obrigado.

Steve Biddulph